KB085341

MBTI 타로카드

세계 최초

MBTI 타로카드

MBTI(Myers - Briggs Type Indicator)
TAROT CARD

목 차

Prologue

타로카드는 전 세계 사람의 삶에 빛을 밝혀주며 에너지를 부여하고 수백, 수천 년을 동고동락(同苦同樂)하며 영위해 왔다. 많은 사람이 인생의 굴곡에서 타로카드에 의존했고, 삶의 기로라는 중요한 결정 상황에서 타로카드를 중요한 도구로 사용하고 있다. 고대나 중세 시대에는 신비스러운 비의(秘義)를 타로카드 속의 상징체계를 통해 비밀리에 전수해 왔으며, 신비 사조 및 오컬트 연구자들을 중심으로 많은 연구와 발전을 이룬 타로카드가 계속적인 업그레이드를 통해 지금 이 순간에도 우리 곁을 함께하고 있다.

타로카드는 수십 년 전부터 본격적으로, 기존의 미래 예언을 위한 점술 도구뿐만 아니라, 점이라는 일부 편협하고 부정적인 시각에서 벗어나 상담과 코칭의 도구로 사용하기 시작하여 세계 여러 곳에서 대중화가 일어나고 있다.

MBTI(Myers-Briggs Type Indicator)는 칼 구스타프 융(Carl Gustav. Jung)의 심리유형 이론(Psychological Type, 1921)을 기반으로, 이사벨 브릭스 마이어스(Isabel B. Myers)와 캐서린 쿡 브릭스(Katharine C. Briggs) 모녀가 개발한 성격유형 검사이다.

이 MBTI 검사는 MMPI 검사 등과 같은 진단검사와는 달리 성격의 좋고 나쁨을 나타내는 것이 아니라, 성격유형 16가지 중 어디에 속하는지를 알려주는 비 진단검사이다. 요즘 매스컴은 말할 것도 없고, 각종 모임

에서 더군다나 소개팅이나 맞선자리에서도 MBTI를 알지 못하면 소통하기 어렵다는 말이 나올 정도로 현재 대한민국에서 MBTI의 열기는 형언할 수 없을 정도로 뜨겁다.

최근에 라디오를 청취하면서 채 몇 시간도 안 되는 거리를 운전하는 동안에도 MBTI 관련 용어가 적게는 수 번에서 많게는 수십 번이 나올 정도로 대한민국에서 MBTI의 인기는 그야말로 절정이다.

타로카드(TAROT CARD)와 MBTI의 융합!!!

참으로 엄청난 작업이고, 쉽지 않은 과정임은 확실하다.

아주 오래전부터 전 세계적으로 『타로카드(TAROT CARD)와 MBTI』의 융합을 시도한 단체나 개인이 얼마나 많았겠는가? 하지만 이 과정이 만만치 않기에 아직 78장 타로카드 시스템의 완벽한 『MBTI 타로카드』는 세상 그 어디에서도 찾을 수가 없었다.

심리학 교수 & 심리학 박사, 타로 그랜드마스터, 타로 트레이너, MBTI 전문 강사 또는 MBTI 일반 강사 등의 전문자격을 소유하거나 해당 교육을 이수한 전문가 위주로 구성된 본 전문가 & 공저팀 또한 엄청난 시간과 어려움이 있었다.

타로카드(TAROT CARD)와 MBTI의 융합을 위한 본격적인 연구, 협의 기간만 하더라도 수년이 소요되었고, 그동안 참으로 많은 여러 과정이 진행되었다.

많은 착오와 오류가 있었고, 중간 포기라는 갈림길에서 큰 어려움에 봉착하기도 하였다.

당연히 혼자였다면 포기했을 것이다. 하지만, 전문가 & 팀이 함께하였

기에 『MBTI 타로카드』라는 결과물을 얻을 수 있었다.

상담, 코칭 등 다양하게 활용할 수 있도록 개발하기 위한 목표로 『MBTI 타로카드』는 칼 구스타프 융(Carl Gustav Jung: 1875-1961)과 연계되어 제작되었다. 즉, 융 자신이 정신적인 문제 상황을 겪었을 때 직접 만다라를 그리며 치유의 과정을 접했고, MBTI가 융(Carl Gustav. Jung)의 심리유형 이론 (Psychological Type, 1921)을 기반으로 했다는 이 두 가지를 모티브로 융합을 통해 『MBTI 타로카드』가 개발되었다.

하지만, 이렇게 된다면 『MBTI 타로카드』가 아니라 『MBTI 만다라』가 되는 것이기에 하나의 과정을 더 진행해야 했다. 그것이 바로 세상에 출시되기 전부터 큰 관심의 대상이 되었고, 엄청난 인기를 얻었던, 얼마 전 수년간 노력의 결과물로 탄생되어 현재 학교 현장 및 일반 대중에게 많은 사랑을 받으며 활용되고 있는 『만다라 명상 & 타로카드』의 과정이었다.

이 『만다라 명상 & 타로카드』는 명상을 통해 직접 그린 만다라 그림 78점이 수년간의 기획과 수작업을 통해 만들어졌고, 사진 전문가, 디자인 전문가 등의 공동 작업으로 세상에 나오게 되었다. 특히, 『만다라 명상 & 타로카드』에는 오컬트, 신비주의의 비의(秘義)를 담아 78장의 타로카드 시스템으로 제작된 세계 최초의 『만다라 타로카드』라는 점에서 그 의의가 크다고 할 수 있다.

『MBTI 타로카드』가 갖는 의미는 이보다 훨씬 크다.

여러 의미 중 특히, 오컬트, 신비주의의 비의를 담아 78장의 타로카드

시스템으로 제작된 세계 최초의 『MBTI 타로카드』라는 점이 가장 큰 의미일 것이다.

78장의 『MBTI 타로카드』 중 메이저 카드 22장은 타로카드 0번~21번의 22장의 체계에 따라 MBTI의 성격유형에 맞추어 주기능, 부기능, 3차기능, 열등기능과 특화된 내용으로 구성, 제작되었다.

또한, 『MBTI 타로카드』 중 마이너 카드 56장에 해당하는 숫자 카드와 인물 카드는 좀 더 세밀한 구분을 필요로 하였다.

마이너 카드 40장의 숫자(PIP) 카드는 MBTI의 기초 이론이 되었던 Jung의 인식, 판단기능의 4가지 심리기능인 감각, 직관, 사고, 감정(S, N, T, F)과 에너지 방향 및 주의 초점에 따른 외향(E)과 내향(I)을 타로카드에 연계·접목하여 구성, 제작되었다. 또, 마이너 카드 16장의 인물(COURT) 카드는 인물, 성향, 성격을 의미하는 카드이기에 MBTI의 성격유형에 맞추어 4원소의 특성과 함께 구성, 제작되었다.

『MBTI 타로카드』에 대한 전문적인 내용을 포함하여 표현하고 싶은 많은 내용을 Prologue에서 다 표현하기가 쉽지 않다.

세계적인 심리학의 거장인 칼 구스타프 융(Carl Gustav Jung: 1875~1961)이 남긴 타로카드에 대한 명언을 소개하며, 프롤로그를 갈음한다.

“The Tarot in itself is an attempt at representing the constituents of the flow of the unconscious, and therefore it

is applicable for an intuitive method that has the purpose of understanding the flow of life possibly even predicting future events at all events lending itself to the reading of the conditions of the present moment."

"타로는 그 자체로 무의식적 흐름의 구성 요소를 나타내려는 시도이며, 따라서 현재의 상태를 이해하는(읽는) 데 사용되는 모든 사건에서 미래의 사건을 예측할 수 있는 삶의 흐름을 이해하려는 목적을 가진 직관적인 방법에 적용할 수 있다."

『MBTI 타로카드 - MBTI(Myers - Briggs Type Indicator) TAROT CARD』가 건강한 세상, 밝은 세상, 아름다운 세상, 사랑하는 세상을 만드는 데 조금이나마 도움이 되면 좋겠다는 것이 우리 『MBTI 타로카드』 전문가 & 공저자들의 하나된 마음이다.

- **대표 저자** 최옥환(필명, 최지훤)
- **공저자** 이미정, 김건숙, 김은미, 김진순, 박경화, 박소현, 소난영, 신희숙, 우수옥, 장선순, 조혜진, 추주연
- **총괄 자문** 진명일(심리학 박사, 대전대 교수), 조경덕(심리학 박사, 배재대 교수)
- **디자인 자문** 서경은, 성영미
- **홍보 자문** 서의환

4원소, 수비학 등 타로카드의 내용을 포괄적으로 이해하는 독자라면 MBTI 타로카드를 전문적으로 사용할 수 있을 것이다. 또한, 『MBTI 타로카드』에 사용된 만다라의 의미를 제대로 공부하여 전문적으로 사용하길 원하는 독자가 많을 것이다. 많은 관련서가 존재하겠으나, 본 『MBTI 타로카드』의 저자들이 연계 편찬한 아래 전문서를 강력히 추천한다.

타로카드에 대한 기초 능력이 부족한 독자에게 적합한 타로카드 전문서
1. 타로상담의 정석(기본편)
2. 학교타로상담 & NLP상담(기본편)

MBTI 타로카드에 사용된 만다라 연계 전문서
1. 만다라 코칭 & 실제
2. 만다라 명상 & 타로카드

MBTI 타로상담전문가 민간자격증 안내
1. 민간자격 등록번호: 제2023-005810호
2. 민간자격관리 기관: 한국 만다라 심리상담협회(서울 서대문구 신촌역로 16)
3. 자격의 종목 및 등급: MBTI 타로상담전문가 2급(Master Practitioner), 1급(Trainer)

MBTI 타로카드 개론

성격이란, 각 개인이 지닌 특유한 성질이나 품성 또는 어떤 사물이나 현상 따위가 자체로 지니고 있는 성질을 말한다. 이 성격으로 한 개인을 평가하는 경우가 많아, 성격은 우리 삶, 인생에서 상당히 중요시되는 부분이기도 하다.

이런 성격에 대한 타로카드의 접목은 미국의 엔젤리스 에리언(Angeles Arrien)이 1997년 그녀의 저서인 『타로 핸드북』에 처음 소개하면서부터 현재까지 전 세계적인 인기를 끌어오고 있다.

엔젤리스 에리언이 소개한 내용은 다음과 같다. 예로 음력 생년월일이 1974년 2월 17일인 사람의 성격 타로카드를 파악하는 방법이다.

< 다음 >

1. 음력 생년월일을 양력 생년월일로 변환시킨다.

(음력) 1974년 2월 17일 ▶ (양력) 1974년 3월 10일

2. 생년, 월, 일을 각 줄에 나열하여 모두 더해 계산한다.

```
1974
+   3
+ 10
-------
1987
```

3. 계산하여 나온 결과의 각 자리 숫자를 모두 더한다.

1+9+8+7 = 25

4. 계산한 결과를 아래의 분류에 맞춰 본인의 성격카드를 파악한다.

(1) 더한 숫자가 1~21: 나온 숫자가 본인의 성격카드

(2) 더한 숫자가 22: 0번이 본인의 성격카드

(3) 더한 숫자가 23 이상: 각 자리 숫자를 다시 더하여 (1), (2)에 해당하는 숫자가 본인의 성격카드

∴ 25 ⇒ 2+5=7

바로 음력 생년월일이 1974년 2월 17일인 사람의 성격카드는 7번 전차 카드로, 불철주야 강한 의지를 발휘하며, 앞만 보고 달려나가는 성격의 소유자이다.

타로카드를 이용하여 자신의 성격카드를 파악하는 엔젤리스 에리언의 방법은 참으로 획기적인 방법이었다. 많은 사람이 이 성격카드를 통해 인생의 지침을 얻을 수 있었고, 추가적으로 자신의 영혼카드, 올해의 카드, 도전카드 등까지 확장하여 파악할 수 있을 뿐 아니라 전문 상담의 자료로도 사용할 수 있었다.

세계 최초로 본인의 타고난 생년월일에 해당하는 수(數)의 활용, 즉 수비학(數秘學)을 이용했다는 획기적인 이 성격카드 계산은 100% 완벽하지는 않았으나, 세상의 많은 사람 상당수가 본인과 적합한 성격카드를 파악하며 만족해 왔다.

하지만, 어느 순간부터 세상의 많은 사람이 의외로 엔젤리스 에리언의 계산 방법으로 파악된 카드가 자신의 성격과 잘 맞지 않는다는 의아함

을 갖기 시작했다.

본 MBTI 타로카드 전문가 & 저자팀은 만여 명이 넘는 타로 상담전문가를 배출하면서, 동시에 진행한 십수 년간의 연구 끝에 마침내 그 이유를 밝혀낼 수 있었다.

그것은 바로 엔젤리스 에리언이 소개한 성격카드는 선천적인 요인과 아울러 후천적인 요인을 모두 고려하여야 어느 정도 맞아떨어지는 성격카드였고, 이 중 후천적 요인이라는 점에 큰 함정이 있었다. 그것은 바로, 성격은 개인이 가지고 있는 고유한 성질이나 품성을 의미하는데, 칼 구스타프 융이 말한 사회에서 요구하는 덕목, 의무 등에 따라 자신의 본성 위에 덧씌우는 사회적 인격을 페르소나라고 명명한 페르소나의 성향인 후천적 요인을 고려한 점이라는 것이다.

내가 직장에서, 학교에서, 모임에서 나의 본성이 가려진 인위적인 페르소나가 나의 본성 위에 가면을 쓰고 외부에 보여주기 때문이다. 그러다 보니, 나의 본연의 성격카드는 상황적, 환경적 요인에 따라 다른 여러 유형으로 다양하게 보일 수 있다는 큰 모순을 안고 있었던 것이다.

이런 성격카드를 파악하는 문제점을 찾음과 동시에 그 해결책을 찾기 위한 연구가 병행되었고, 타로카드와 마찬가지로 전 세계적으로 큰 인기를 얻고 있는 MBTI(Myers-Briggs Type Indicator)에서 그 해결책을 얻을 수 있었다. 성격유형을 검사할 수 있는 여러 도구가 있었으나, 이 중 칼 융의 심리 유형론에 기반하여, Katharine Briggs와 Isabel Myers의 수십 년간의 인간 연구 끝에 만들어진 MBTI는 다른 검사보다 신뢰할 수 있는 성격유형 검사이며, 무엇보다도 특히 후천적인 요인보다는 인간의 타고난 선천적인 요인을 따른다는 것이 타고난 본성과 연계하여 자신의 성격카드를 파악할 수 있다는 중요한 시사점이다.

1. 타로카드(TAROT CARD)와 MBTI

프롤로그에서 이야기한 타로카드와 MBTI에 대해 다시 한번 이야기해 본다.

타로카드는 전 세계 사람들의 삶에 에너지를 부여하고 빛을 밝혀주며 수백, 수천 년을 같이 영위해 왔다. 많은 사람이 인생에서의 굴곡 상황에서 타로카드에 의존했고, 삶의 기로의 중요한 결정 상황에서 타로카드를 사용하고 있다. 고대나 중세 시대에는 신비스러운 비의(秘義)를 타로카드라는 상징체계를 통해 비밀리에 전수해 왔으며, 신비 사조 및 오컬트 연구자들을 중심으로 많은 연구와 발전을 이룬 현대의 타로카드가 우리와 같이하고 있다.

수십 년 전부터는 이 타로카드를 미래 예언의 점술적인 도구뿐만 아니라, 상담과 코칭의 도구로 사용되기 시작하여 편협하고 부정적인 시각에서 벗어나 세계 여러 곳에서 대중화가 일어나고 있다.

그렇다면, 이런 타로카드와 비교하여 MBTI는 우리에게 어떻게 자리잡고 있을까? 굳이 이야기하지 않아도 실감할 수 있을 것이다.

매스컴은 말할 것도 없고, 각종 모임에서 더군다나 소개팅이나 맞선 자리에서도 MBTI를 알지 못하면 소통하기 어렵다는 말이 나올 정도로 MBTI의 열기는 그야말로 뜨거운 용광로이다. 최근에는 멀지 않은 거리를 운전하며 라디오를 청취한다든지, 1~2시간 TV를 시청할 때도 MBTI 관련 용어가 적게는 여러 번에서 많게는 수십 번이 나올 정도로 MBTI의 인기는 절정이다.

"E이기 때문에 그래."
"역시 T야~"

MBTI(Myers-Briggs Type Indicator)는 칼 구스타프 융(Carl Gustav. Jung)의 심리유형 이론 (Psychological Type, 1921)을 기반으로, 이사벨 브릭스 마이어스(Isabel B. Myers)와 캐서린 쿡 브릭스(Katharine C. Briggs) 모녀가 개발한 성격유형 검사이다.

MBTI 검사는 MMPI 검사(진단검사)와 달리 성격의 좋고 나쁨을 나타내는 것이 아니라 성격 유형 16가지 중 어디에 속하는지를 알려주는 비 진단검사로 자신 성격과 타인과의 상호작용을 이해하는 데 도움을 준다.

따라서, MBTI를 통하여 개인의 타고난 선천적인 경향성, 마음의 모습을 이해하고 선천적인 성격적 경향과 잠재력을 알고, 그것에 대한 인식을 높이며, 나의 고유성에 대해 수용하는 것이 중요하다.

모든 사람은 다양한 성향을 가지고 있으며 다양한 성향을 사용한다. 하지만, 기질적으로 선호하는 성향이 있고 이것이 심리유형으로 나타나게 된다. 한마디로 MBTI 성격유형은 개인의 전반적인 선호 성향, 두드러진 경향성을 의미한다.

이사벨 마이어스(Isabel Myers)와 캐서린 브릭스(Katharine Briggs)는 주변 사람들을 더 잘 이해하여 이를 통해 많은 사람에게 도움을 주기 위해 인간의 다양성을 연구하여 MBTI 검사를 개발하였다.

융(Jung)의 초기 이론인 심리유형론(Psychological Type)은 인간 행동은 다양해 보이지만, 아주 질서정연하고 일관된 경향이 있다는 점에서 출발하였으며, 행동의 다양성은 개인이 사물, 사람, 사건 또는 아이디어를 깨닫게 되는 모든 방법인 인식(Perceiving)과 인식한 내용을 바탕으로 결론을 내리는 모든 방식인 판단(Judging) 방식의 특성 때문이라고 보고 있다.

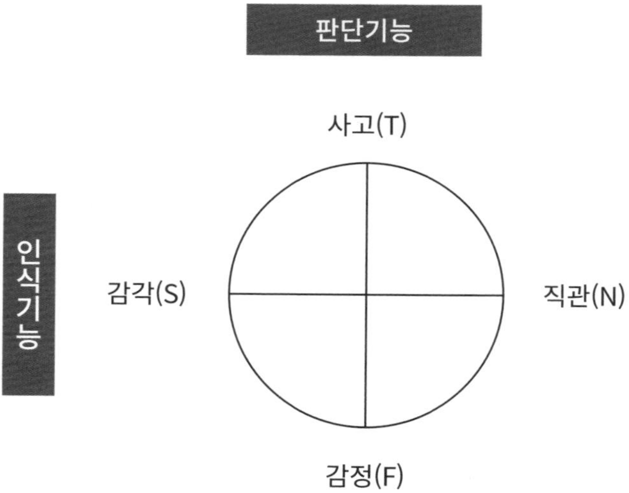

판단기능

사고(T)

인식기능

감각(S)

직관(N)

감정(F)

융은 인간의 의식 안에 있는 위 4가지 기능(S, N, T, F)을 모두 사용하지만, 개인마다 기능의 발달 정도가 다르고, 그 다른 차이가 외부로 드러나는 성격의 차이를 만든다고 보았다.

또한, 융은 위 4가지 심리기능 외에 에너지 방향 및 주의 초점이 어디로 향하는지를 따라 외향(E)과 내향(I)으로 구분하였다.

MBTI는 이러한 판단(J)과 인식(P)에 관한 융의 이론, 그리고 인식과 판단의 방향을 결정짓는 융의 태도 이론을 바탕으로 일상생활에서 더 쉽고, 유용하게 활용할 수 있도록 개발되었다.

MBTI 4가지 선호지표를 살펴보면 아래와 같다.

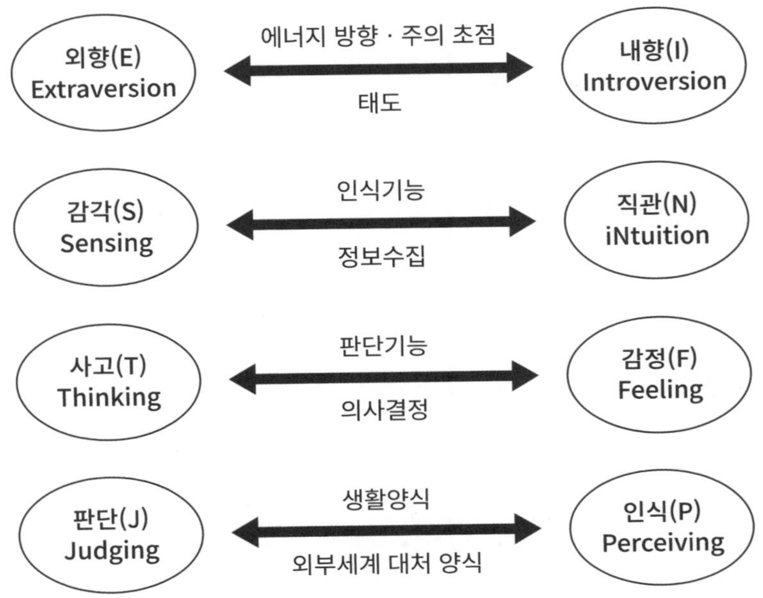

융은 심리기능이란 개인이 외부와 상호 작용하는 데 있어서 그 개인의 고유한 반응 양식을 가지게 하는 일관된 내재적 심리 경향성을 의미한다고 말한다.

MBTI를 유용하게 잘 활용하기 위해서는 각 유형별 기본 주기능, 부기능, 3차기능, 열등기능의 4가지 심리기능을 이해하여야 한다.

각 유형별 기본 4가지 심리기능 특징은 다음과 같다.

1. 주기능 - 의식적으로 가장 선호하여 활발하게 사용하는 기능으로 개인 성격의 핵심을 의미한다.

2. 부기능 - 주기능과의 균형과 상보적 역할(외향과 내향, 인식과 판단)을 한다.

3. 3차기능 - 의식과 무의식의 사다리 역할을 하며, 부기능의 반대기능을 의미한다.

4. 열등기능- 무의식 차원에서 미분화되어 덜 발달하며, 주기능의 반대기능을 의미한다.

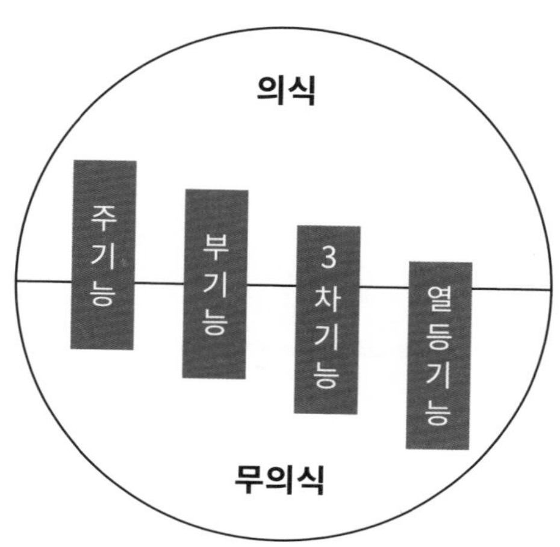

위 4가지 심리기능의 위계를 찾는 방법을 간단히 소개하면 아래와 같다.

1. 심리기능(Psychological Function)의 위계는 인식기능(P)과 판단기능(J)에서 찾는다.
2. J, P는 외부세계에 대처하는 양식이므로 에너지 방향은 일차적으로, 모두 외부(e)가 된다.
   - J(판단형)이면, 판단기능(T or F)을 외부(e)로 사용
   - P(인식형)이면, 인식기능(S or N)을 외부(e)로 사용

3. 상보성(상호보완)의 원리에 의해 유형에 나타나 있는 나머지 기능은 내부(i)로 사용한다.
4. 외향형(E)은 주기능을 외부로 사용하므로 에너지 방향을 외부(e)로 사용하는 것이 주기능이 되고, 내향형(I)은 주기능을 내부로 사용하므로 에너지 방향을 내부(i)로 사용하는 것이 주기능이 된다.
5. 그 유형에서 드러난 기능 중에 주기능 외 남은 한 가지 기능이 부기능이 된다.
6. 3차기능의 부기능은 반대 지표가 되며, 열등기능은 주기능의 반대 지표가 된다.

ISTJ의 경우 4가지 심리기능의 위계를 찾는 방법의 예를 들면 아래와 같다.

예) ISTJ 경우(주기능: Si, 부기능: Te, 3차기능: F, 열등기능: Ne)

1. 판단형(J)이므로 판단기능인 T를 선호하여 T를 e로(Te) 사용한다.
2. 상보성의 원리에 따라 S의 에너지 방향이 Si가 된다.
3. 내향형(I)이므로 에너지 방향을 내부(i)로 사용하는 Si가 주기능이 된다.
4. 나머지 기능인 Te가 부기능이 된다.
5. 3차기능은 부기능의 반대 지표인 F가 된다.
6. 열등기능은 주기능의 반대 지표인 Ne가 된다.

더 자세한 전문적인 내용을 알고자 하는 독자에게는 한국 MBTI 연구소의 정식 MBTI 전문교육 과정을 추천한다.

2. MBTI 타로카드 연구 및 제작 의도

저자는 십수 년 전 본격적으로 마음 관련 강의를 대학 평생교육원에서 시작한 이후, 2014년도부터는 교원연수 강의에 타로카드를 이용한 상담 강의를 개설, 운영하게 되었다.

그러면서 타로를 점으로만 치부하는 상황을 안타까워하며, 타로 상담과 연결하여 분야를 개척했다. 또한, 타로가 점이라는 미래 예측 등 외부로만의 방향성에 치우쳐 있음을 지적하며, 마음, 내면의 중심인 핵(Core)과 커뮤니케이션하며 내면 정보를 파악할 수 있는 도구의 필요성을 강하게 느껴, 수년간의 연구와 노력 끝에 78장 타로카드를 직접 그리는 열정으로 만다라 전문가들과 세계 최초로 78장 타로카드 시스템인 『만다라 명상 & 타로카드』를 2023년에 마무리했다. 바로, 이 『만다라 명상 & 타로카드』의 제작은 MBTI 타로카드 연구, 제작의 첫걸음이라고 할 수 있을 것이다.

지금도 그렇지만 대학 강의를 개설하기 시작했던 십수 년 전에도 국내뿐만 아니라 전 세계적으로 타로카드의 인기는 상당했다. 특히, 전 세계적인 타로카드의 인기를 견인했던 내용 중의 하나가 앞서 소개한 엔젤리스 에리언(Angeles Arrien)이 그의 저서 『The Tarot Handbook』에 소개한 나의 개성, 성격카드일 것이다. 각종 서적이나 인터넷, 강의에서 단연 인기 1순위를 찍을 정도의 큰 인기몰이를 해왔다. 본 저자도 엔젤리스 에리언(Angeles Arrien)이 소개한 나의 개성, 성격카드를 강의 때마다 소개하고는 하였다. 하지만, 어느 순간부터 큰 모순에 봉착하게 되었다. 그것은 바로, 엔젤리스 에리언(Angeles Arrien)이 소개한 나의 개성, 성격카드가 상당 부분 개인별 성격카드로 적합한 부분이 있지만, 반면에 적합하지 않은 부분도 있다는 것을 파악했기 때문이었다. 이런 모순을 극복해야겠다는 생각으로 신비주의와 연계되는 타로카드의 연구로 이루어지는 발전적인 과정을 이어왔다.

2019년 지방의 한 사립대학교 교수연수에 참석한 교수 중 "어? 나랑 맞지 않는데?", "아닌 것 같은데." 하는 반응을 보며, 정확한 성격카드의 필요성을 다시 한번 강하게 느꼈고, 이는 타고난 개인의 성격을 대표할 수 있는 타로카드의 제작을 계획, 협업하게 되는 결정적인 계기가 되었다.

계속된 연구 끝에 엔젤리스 에리언이 소개한 성격카드는 선천적인 요인과 아울러 후천적인 요인을 모두 고려한 성격카드라는 점과 그러다 보니, 나의 본연의 성격카드는 상황적, 환경적 요인에 따라 다른 여러 유형으로 다양하게 보일 수 있다는 큰 모순을 안고 있음을 파악할 수 있었다.

또한, 개인의 고유한 성질이나 품성인 본연의 성격, 선천적인 요인을 제대로 파악할 수 있는 타로카드는 전 세계적으로 아직 존재하지 않음을 인지하고, 그 도구의 필요성이 절실함을 새삼스럽게 느꼈다. 이는 최소한 제대로 된 본연의 성격을 파악하고 제대로 된 정보를 얻어, 본인의 삶에 도움을 줄 수 있어야겠다는 운명적인 과업의 무게감으로 더해졌다.

다행스럽게 이런 과업은 타로카드와 마찬가지로 전 세계적으로 큰 인기를 얻고 있는 MBTI(Myers-Briggs Type Indicator)에서 그 해답을 얻을 수 있었다. 성격유형을 검사할 수 있는 여러 도구가 있었으나, 이 중 칼 융의 심리 유형론에 기반하여 Katharine Briggs와 Isabel Myers의 수십 년간의 인간 연구 끝에 만들어진 MBTI는 신뢰할 수 있는 성격유형

검사이며, 무엇보다도 특히, 후천적인 요인보다는 인간의 타고난 선천적인 요인을 따른다는 특징을 가지고 있었다. 타로 그랜드마스터 자격 등을 보유하며 만여 명의 타로카드 상담전문가를 배출하고 있는 저자는 위 과업에 대한 강한 가능성을 느끼며, 강한 신념으로 MBTI 전문 강사 자격을 받았고, 그 과정에서 이에 대한 가능성의 신념은 한 발짝 더 나아가 확신으로 강화되었다.

이에, 국내 MBTI의 선구자이신 김정택 교수님께 2023년 5월 메일을 보냈고, 6월 22일 MBTI 연구소 소장님의 MBTI 타로카드 연구, 제작에 대한 격려 전화까지 받게 되었다.

이는 수년 전 시작한 MBTI 타로카드의 연구, 제작에 더욱 열정을 발휘하는 계기가 되었고, 20명 가까운 MBTI 전문가, 타로카드 상담전문가와의 전문 협업을 통한 MBTI 타로카드 제작에 대한 결실이 맺어지게 되었다.

벌써부터 주위의 많은 MBTI 전문가, 타로카드 상담전문가의 『MBTI 타로카드』의 활용 방안은 참으로 뜨겁다.

『MBTI 타로카드』를 연수 등을 통해 체험하신 분들의 소감을 간단히 살펴보면 아래와 같다.

참고로, 아래 내용은 MBTI 타로카드를 소개하는 학교 선생님들을 대상으로 하는 교원연수와 대학 전문가 과정에 참여하신 선생님들께서 자발적으로 MBTI 타로카드의 성격카드를 파악하시고, 놀라움을 표현해 주신 소감문으로, 주변에 MBTI 타로카드를 통해 많은 긍정적인 변화가 일어나기를 기대하시며 보내주신 소감문 중의 일부로 2편을 소개한다.

• MBTI 타로 성격카드 소감문 •

본 소감문1의 MBTI 타로상담 기초-중급-고급 실전 상담은

『실전 상담 사례편』에 안내한다.

소감문 1

우리 부부는 모두 50대로 저는 교사이고, 남편은 회사원입니다. 우리의 성격이 삶의 모습으로 어떻게 나타날까요? 그리고, 우리의 성격과 연관하여 삶의 지침으로 알아야 할 사항이 궁금합니다. 저는 MBTI가 ENTP이고, 남편은 ESTP예요.

최*영 선생님, 청주OO초 교사

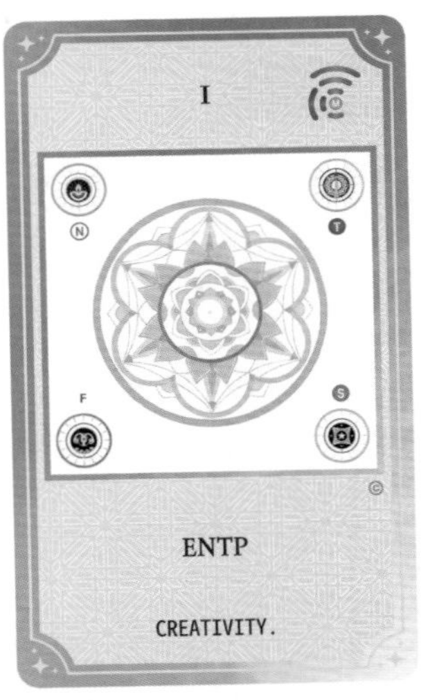

ENTP(나) 마법사

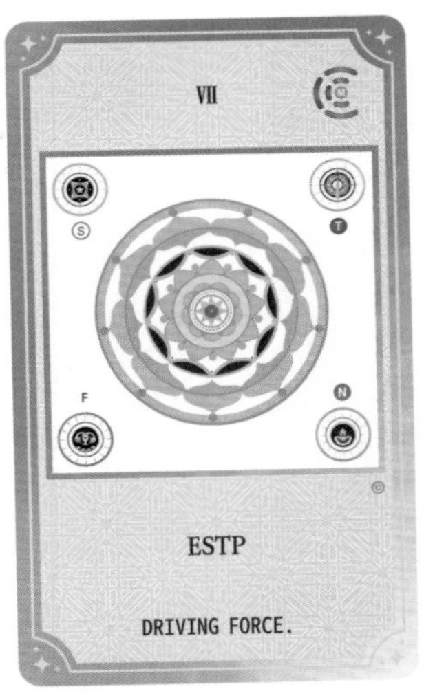

ESTP(남편) 전차

전문가 간단 해석

나는 4원소 중에서 불이 3, 물은 0, 공기는 2, 흙은 1로 E의 성향입니다. 남편은 4원소 중에서 불이 2, 물은 0, 공기는 2, 흙은 2로 E의 성향입니다. 둘은 모두 E의 성향으로 활동적이며 바깥으로 나가는 것을 좋아합니다. 남편보다 내가 더 활동적으로 바깥 활동을 더 좋아합니다. 나와 남편 모두 물이 없으므로, 예를 들어 영화나 드라마를 볼 때 슬픈 장면이 나와도 전혀 울지 않으며 오히려 웃으며 볼 정도로 감정이입을 하지 않습니다.

나와 남편 모두 공기는 2로 생각하고 토론하는 것을 좋아하고 서로 잘 통합니다.

나는 흙이 1, 남편은 2이므로 재산 증식이나 물질적인 면에서 나는 별로 관심이 없고 남편은 조금 더 신경을 쓰는 편입니다.

실제의 생활 모습

우리 부부는 실제로 외부 활동을 좋아해서 주말에 집에 붙어 있지 않고 항상 밖으로 나가서 각자의 생활을 즐기거나 함께 밖에서 즐거움을 찾습니다. 저는 등산을 좋아해서 낮은 산이건 높은 산이건 가리지 않고 등산을 즐깁니다. 남편은 낚시를 좋아해서 1년에 1박 2일로 떠나는 낚시 여행을 열 번 넘게 행합니다. 그리고 국내 여행이건 해외여행이건 함께 여행을 즐기며 자연과 식물을 찾아 떠나는 여행 취향도 비슷합니다.

영화나 드라마를 볼 때 울지 않는다는 이야기를 듣고 깜짝 놀랐습니다. 진짜 슬픈 매체를 대하더라도 우린 울지 않습니다. 영화가 아니라 실제상황에서도 잘 울지 않습니다. 두 아들이 군에 입대할 때도 부부 모두 울지 않았을 정도로 굳세죠. MBTI 타로가 이런 사실을 다 알고 있었다니 놀라울 따름입니다.

우린 대화와 토론을 즐깁니다. 밥상머리에서나 술자리에서나 어떤 주제를 놓고 서로의 생각을 존중하며 대화하는 것을 좋아하고 상대의 생각에서 배울 점을 찾기도 합니다.

저는 경제 관념이 별로 없어서 예금이나 적금의 만기를 놓칠 때도 많고, 사는 데 돈이 크게 중요하지 않다고 생각해서 재산 증식에 관심이 없습니다. 그에 비해 남편은 예금 적금 만기를 체크하고 부동산을 매매하거나 재산 증식에 관심을 기울입니다.

느낀 점

정말 감탄사가 저절로 나오는 놀라운 MBTI 타로카드입니다.

'나는 누구인가?'에 대한 해답을 주는 매우 유용한 도구라고 느꼈습니다~~

특히, MBTI를 타로카드의 4원소와 상징성을 이용하여 융합하는 아이디어는 MBTI 타로카드 전문가 & 타로카드 전문가가 아니었더라면 생각조차 불가능한 일이었을 것입니다. MBTI 타로카드를 통해, MBTI와 타로카드 모두 많은 대중화가 될 것 같아요.

MBTI 타로카드가 나를 이해하고, 더 나아가 우리를 서로 이해하며, 함께 성장할 수 있는 도구로 사용되길 희망합니다.

"MBTI 타로카드 정말 매력적이에요~~"

소감문2

엔젤리스 에리언의 유니버셜웨이트 타로 성격카드와 MBTI 타로 성격카드 비교분석

박경화

엔젤리스 에리언의 유니버셜웨이트 타로 성격카드

MBTI 타로 성격카드

엔젤리스 에리언의 유니버셜웨이트 타로 성격카드는 3번 여황 카드입니다. 여황 카드는 따뜻하고 넉넉한 성품과 함께 주변 사람들이 많이 따르는 온화한 리더십을 가지고 있다고 합니다. 그리고 주위에 희생과 봉사를 하는 편이며 일을 추진해서 성과를 내는 능력형일 뿐만 아니라 여유를 즐길 줄 알고, 일 처리에 우선순위를 명확히 파악하고 이성에 관심이 많고 소유 욕구가 크다고 합니다.

처음 이런 성격의 여황 카드가 내 카드라고 했을 때 비슷한 부분도 많다고 생각했습니다. 일을 하면서 조직 내의 내 사람들과 내가 속한 조직

을 위해서 내가 더 일을 하고 내가 조금은 더 손해를 보더라도 모두가 편안해진다면, 만족한다면, 괜찮다고 생각하는 편입니다. 물론 나 자신의 내면의 목소리도 100% 그러냐 하면 그건 또 다른 목소리라고 생각을 하며, 우선 가시적으로는 조직 내에서 성과를 내는 편이며 적극적으로 주도해서 일을 하는 리더형입니다.

하지만 주변에서 바라보는 내가 여유롭고 능숙하게 일 처리를 하는 것처럼 보일 수 있으나 사실 속에서는 여러 가지 일들을 동시다발적으로 처리하는 과정에서 정신없고, 목록화를 하면서 계속 파악하지 않으면 불안하고 여러 번 재확인을 거치고 일이 생각했던 대로 되지 않으면 견디기 힘들어하는 부분도 가지고 있습니다.

이번 MBTI 타로 성격카드를 공부하고 분석하는 과정에서 MBTI 성향이 ISTJ인 나에 대해 분석할 수 있는 계기가 되었습니다. ISTJ인 나는 책임감이 강한 편이며 맡은 일을 철저히 완수해야 마음이 편해지는 편입니다. 그리고 이상적인 판단보다는 현실적인 판단을 더 따르고, 그렇기 때문에 조직 내에서 동료는 사람 좋고 일을 끝내지 못하는 사람보다는 적극적이고 성실하게 일을 끝까지 책임지는 사람을 더 선호하고 신뢰하는 편입니다.

MBTI 타로 성격카드에서 ISTJ는 4번으로 유니버셜웨이트 타로카드에서는 황제카드입니다.

일을 하면서 주변의 의견을 충분히 경청하고 조율하며 여러 사람이 함께할 수 있도록 노력하지만, 결정된 그 일을 실천해 가는 과정에서는 다소 넘치게 진취적이고 완료될 때까지 밀어붙이는 완고함도 가지고 있어서 황제의 성격카드를 살펴보면서 나의 또 다른 모습을 느꼈었는데 이렇게 ISTJ 카드로 나타나니 놀랍다는 생각이 들었습니다.

MBTI 타로 성격카드에서 4번의 원소를 보면 불은 없고 물과 흙, 공기만 2씩 존재합니다. 사실 내 직업에 대한 책임의 문제이지 저 자신이 엄청난 에너지가 있는 사람은 아닙니다. 그래서 일을 떠나서 집에 와서는 혼자 방에서 조용히 나만의 시간을 가지려는 성향이 많고 여행을 떠나서 며칠이 지나면 집에서 조용히 쉬고 싶다는 생각을 많이 합니다. 나 자신이 I의 성향이 정말 강한데 직업적으로 나를 만난 사람들은 대부분 E의 성향으로 나를 바라봅니다. 만다라 속의 4번은 겉껍질을 단단히 가지고 있는 모습 같아서 그것이 밖에서 보고 있는 나의 마스크가 아닐까 생각도 들었습니다. 그렇기에 ISTJ 카드에서 불의 원소가 없다는 점이 놀라웠습니다. 그리고 주기능이 S 감각기능인데 분석하고 조직하여 준비하는 것을 선호하고 현실적인 면이 많아서 필요하면 논쟁도 불사하는 편입니다. 그런 데다 T가 부기능으로 개방적이고 정서적인 부분이 부족할 수도 있겠지만, 물의 속성을 2로 가지고 있어서 내 안의 사람들과 주변의 상황에 대해서는 민감하게 반응하며 내가 피곤하고 힘들어도 이야기를 들어 주고 위로하고 문제를 해결해 줄 수 있으면 도와주려는 편입니다. 주변에 사람들이 따르는 이유는 그런 물의 속성을 가지고 있기 때문인 거 같습니다. 그래서 나 자신이 부족한 F를 물의 속성을 통해서 보완하고 있는 것 같아서 3차기능과의 연관성도 떠올랐습니다.

성격카드였던 여황 3번 카드의 MBTI 타로 성격카드의 성향은 신기하게도 ESFJ입니다. 사람들이 나를 E 성향으로 착각하는 경우가 많은데 하나는 유니타로에서의 성격카드였고 MBTI 성향으로는 4번이기에 두 카드가 가지고 있는 성향의 공통점과 미묘한 차이점이 나를 이해하고 분석하며 주의할 점과 개발할 점을 다시 생각해 보게 해 주었다는 점에서 좋았습니다.

MBTI 타로카드에 대한 자세한 안내와 설명, 이야기는 다음 단원에서 이어나가기로 하자.

저자는 엔젤리스 에리언의 성격카드보다 MBTI 타로카드의 성격카드가 월등히 우월하다고 말하지 않는다. 왜냐하면 동전에도 앞뒤가 있고, 우리 삶에 긍정과 부정은 공존하며, 운명의 수레바퀴처럼 최고점과 최저점은 연결되어 있기 때문이다.

두 개의 도구를 상호 보완적으로 살펴, 인생의 교훈으로 삼는다면 현재보다 훨씬 유익한 삶을 살아갈 것이라고 확신한다.

이 순간에도 『MBTI 타로카드 연구회』에서 연구하며, 동고동락을 같이하고 있는 전문가들과 계속 전문적인 MBTI 타로카드의 연구와 활동을 함께 하길 진심으로 기원한다.

3. MBTI 타로카드 제작 방향

1 메이저 카드 0번~21번(22장)

(1) 0번~15번

[0. 바보] 카드는 외부세계, 환경과의 관계성을 형성하며 세상을 향한 인생, 삶의 스토리를 전개하며 성장시켜 나가는 주인공으로 16개의 성격카드의 시작이다.

MBTI 타로연구회의 계속된 연구 중 신비롭게도 0번~15번까지는 MBTI 16개의 성격유형과 매칭된다.

ISTJ **세상의 소금형** 한번 시작한 일은 끝까지 해내는 사람들	**ISFJ** **임금 뒤편의 권력형** 성실하고 온화하며 협조를 잘하는 사람들	**INFJ** **예언자형** 사람과 관련된 뛰어난 통찰력을 가지고 있는 사람들	**INTJ** **과학자형** 전체적인 부분을 조합하여 비전을 제시하는 사람들
ISTP **백과사전형** 논리적이고 뛰어난 상황 적응력을 가지고 있는 사람들	**ISFP** **성인군자형** 따뜻한 감성을 가지고 있는 겸손한 사람들	**INFP** **잔다르크형** 이상적인 세상을 만들어 가는 사람들	**INTP** **아이디어 뱅크형** 비평적인 관점을 가지고 있는 뛰어난 전략가들
ESTP **수완좋은 활동가형** 친구, 운동, 음식 등 다양한 활동을 선호하는 사람들	**ESFP** **사교적인 형** 분위기를 고조시키는 우호적인 사람들	**ENFP** **스파크형** 열정적으로 새로운 관계를 만드는 사람들	**ENTP** **발명가형** 풍부한 상상력을 가지고 새로운 것에 도전하는 사람들
ESTJ **사업가형** 사무적, 실용적, 현실적으로 일을 많이하는 사람들	**ESFJ** **친선도모형** 친절과 현실감을 바탕으로 타인에게 봉사하는 사람들	**ENFJ** **언변능숙형** 타인의 성장을 도모하고 협동하는 사람들	**ENTJ** **지도자형** 비전을 가지고 사람들을 활력적으로 이끌어가는 사람들

ISTJ	ISFJ	INFJ	INTJ
4. 황제	5. 교황	2. 고위여사제	9. 은둔자
ISTP	ISFP	INFP	INTP
8. 힘	14. 절제	6. 연인	12. 매달린 사람
ESTP	ESFP	ENFP	ENTP
7. 전차	15. 악마	0. 바보	1. 마법사
ESTJ	ESFJ	ENFJ	ENTJ
11. 정의	3. 여황	10. 운명의 수레바퀴	13. 죽음

• MBTI 메이저 카드 16장

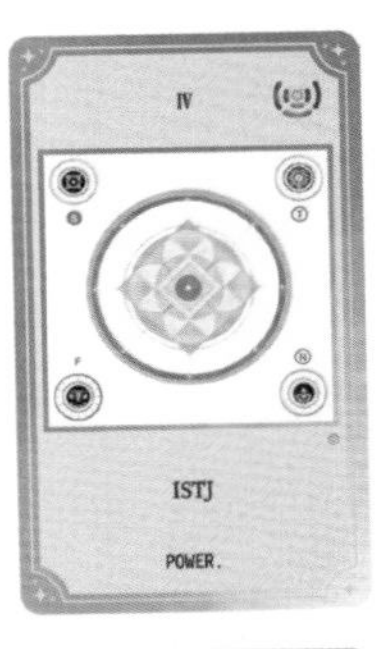

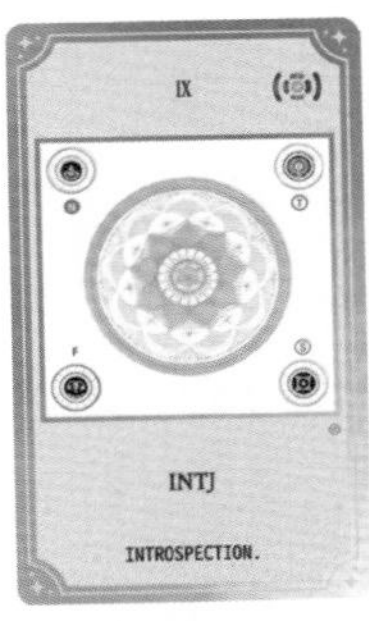

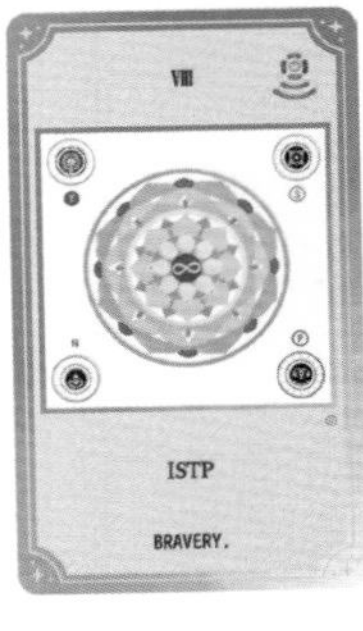

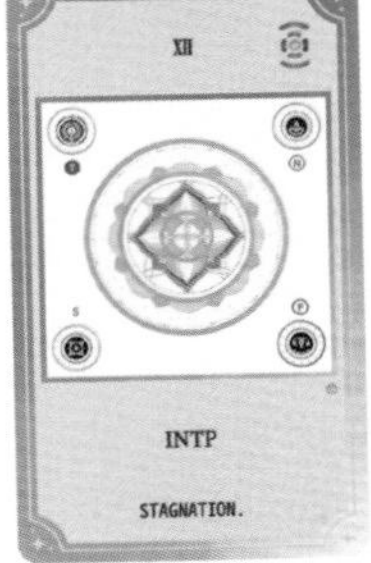

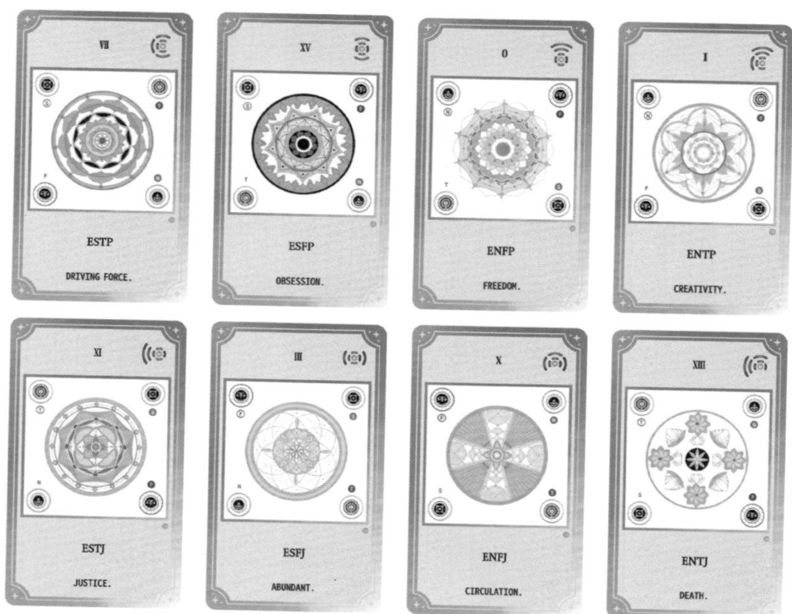

(2) 16번~21번: 6장 카드는 특화

16번부터 21번의 6장 카드는 초월의식과 관련되며, 전반적인 상황과 흐름을 이끄는 카드이기에 MBTI 4가지 선호지표에 특화된다.

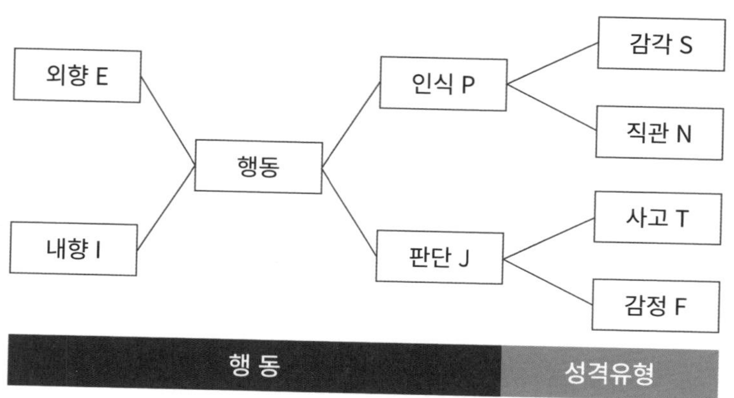

행동은 외향 E, 내향 I와 인식 P와 판단 J로, 이 중에서 인식 P는 감각 S, 직관 N으로, 그리고 판단 J는 사고 T, 감정 F의 성격유형으로 세분화 되므로 16번부터 21번 6장의 카드는 외향 E, 내향 I와 감각 S, 직관 N, 사고 T, 감정 F 6가지 유형으로 특화된다.

이 6장의 카드 중 우주의 중심, 지구와 연관된 태양, 달은 우리 삶의 중심임을 감안하여, 태양과 달 카드 2장을 특별히 분류할 수 있다.

이 중, 태양은 태양계의 중심에 존재하는 항성으로 태양계에서 유일한 별(항성)이자 모든 에너지의 근원이다. 태양은 에너지를 외부로 발하며, 생명력을 부여하고, 우주의 에너지원으로 작용한다는 점을 감안하여 E로 대표 특화된다.

그리고, 달은 지구의 위성이며 동시에 태양계의 가장 내부의 위성으로 지구에 가장 가까운 위성이자 우주적 생명력의 전형으로 믿어진 종교상 징물로 여겨진다. 달은 일정한 주기성을 가지며 다른 모습으로 우리에게 비추어진다는 점, 물의 가장 큰 대표적인 대상인 바다와 관련하여, 달의 인력으로 조수간만의 차가 생긴다는 점을 감안하여 I로 대표 특화된다.

18. 달 - I / 19. 태양 - E

S, N, T, F는 각각 4원소의 대표 의미인 감각, 직관, 사고, 감정을 대표하고, 이에 16번 타워, 17번 별, 20번 심판, 21번 세계 4장 카드의 의미, 성향과 매칭하여 각각 F, N, T, S로 분류한다.

16. 타워 - F

타워는 예상하지 못했던 갑작스러운 변화나 문제 상황이 나타날 수 있는 카드로 감정적 큰 변화 요인과 연결된다.

따라서, 16번 타워는 MBTI의 F와 매칭이 된다.

17. 별 - N

별은 희망, 소원성취, 희망찬 미래를 의미하는 직관적인 요인과 연결된다.

따라서, 17번 별은 MBTI의 N과 매칭이 된다.

20. 심판 - T

심판은 자신이 실행한 결과에 대해 보상, 판결받는 카드로 판단, 사고적 요인과 연결된다.

따라서, 20번 심판은 MBTI의 T와 매칭이 된다.

21. 세계 - S

세계는 지금까지의 모든 인생 스토리의 최종적인 결과, 그러면서 한 단계 업그레이드된 새로운 시작을 의미하는 총체적인 완성과 그에 연계된 실제, 감각적, 현실적인 요인과 연결된다.

따라서, 21번 세계는 MBTI의 S와 매칭이 된다.

16. 타워 - F / 17. 별 - N / 20. 심판 - T / 21. 세계 - S

이상을 정리하면, 16번~21번에 해당하는 초월성의 타로카드 6장은 다음과 같이 MBTI 타로카드로 특화된다.

16. 타워 - F / 17. 별 - N / 18. 달 - I

19. 태양 - E / 20. 심판 - T / 21. 세계 - S

• MBTI 메이저 특화 카드 6장

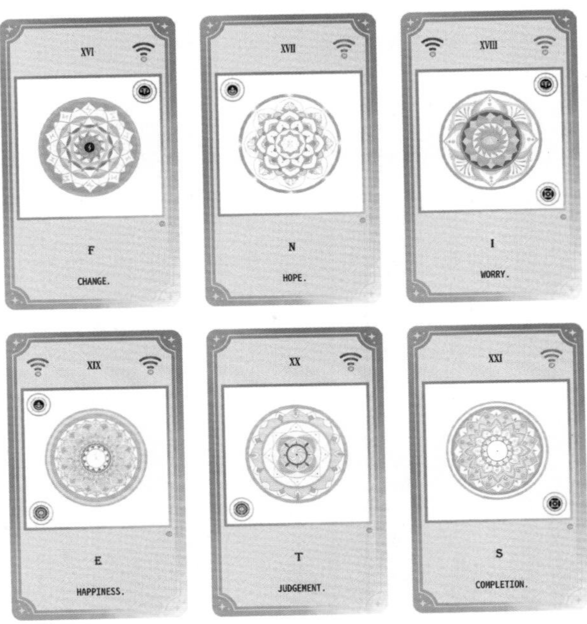

2 마이너 카드

(1) 숫자(PIP) 카드 1번부터 10번 카드, 총 40장

마이너 카드 56장 중 숫자(PIP) 카드 40장은 MBTI 성향, 에너지 방향(E, I), 수비학, 카드의 의미 등이 종합적으로 적용된다.

완드: ENF(숫자)

컵: ISF(숫자)

소드: ENT(숫자)

펜타클: IST(숫자)

예) 완드 2

불(NF) + E + 숫자 2 = ENF 2

① EN__: 행동 지향적인 창안자, _NF_: 열정적, 통찰적인 유형, E_F_: 행동 지향적 협력가

② E: 에너지 방향(주의 초점)이 외부, 중요한 결정이나 행동이 주체에 의하지 않고 객관적인 상황에 의해 좌우

③ 숫자 2: 관계(대립, 균형, 조화, 갈등), 순수한 1에서의 확장

∴ ENF2 ▶ 관계성을 통해 열정과 통찰을 발휘하는 행동 지향적인 협력자

• MBTI 마이너 카드 40장

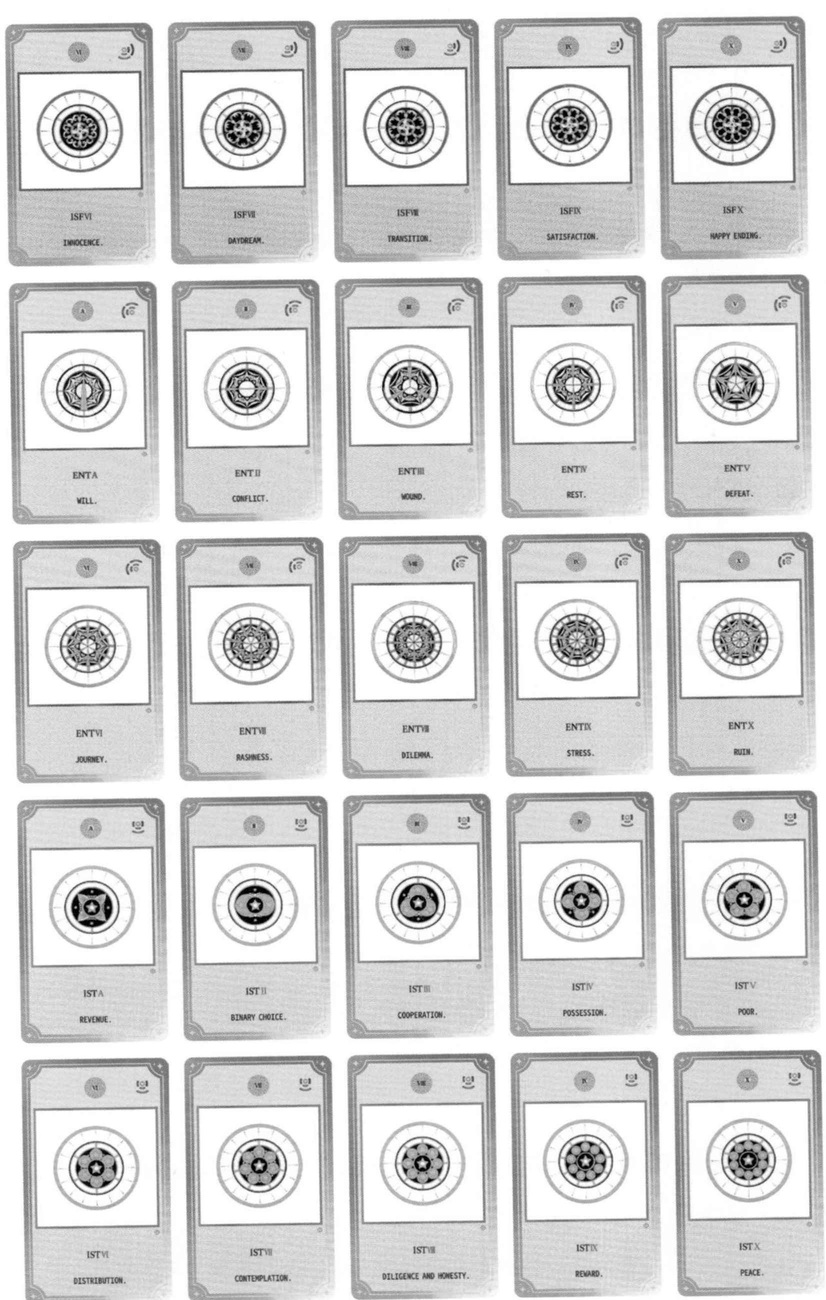
ISFVI
INNOCENCE.
ISFVII
DAYDREAM.
ISFVIII
TRANSITION.
ISFIX
SATISFACTION.
ISFX
HAPPY ENDING.
ENTA
WILL.
ENTII
CONFLICT.
ENTIII
WOUND.
ENTIV
REST.
ENTV
DEFEAT.
ENTVI
JOURNEY.
ENTVII
RASHNESS.
ENTVIII
DILEMMA.
ENTIX
STRESS.
ENTX
RUIN.
ISTA
REVENUE.
ISTII
BINARY CHOICE.
ISTIII
COOPERATION.
ISTIV
POSSESSION.
ISTV
POOR.
ISTVI
DISTRIBUTION.
ISTVII
CONTEMPLATION.
ISTVIII
DILIGENCE AND HONESTY.
ISTIX
REWARD.
ISTX
PEACE.

(2) 인물(COURT) 카드 16장

마이너 카드 56장 중 코트(COURT) 카드 16장은 MBTI 성향 (ST, SF, NT, NF 등), 인물의 성향, 4원소(S, N / T, F) 등이 종합적으로 적용된다.

① _ST_: 실제적이고 사실 중심적 유형(The practical and matter-of-fact types)

철학, 순수공상과학을 좋아하지 않으며 창작, 뜬구름 잡는 얘기를 신뢰하지 않는다.

또한, 실질적, 사무적, 심리적으로 강인하다.

▶ 펜타클

② _SF_: 동정적, 우호적인 유형(The sympathetic and friendly types)

인간 중심(타인의 감정에 민감)적이고 주변 환경이 여의치 않으면 안으로 움츠러든다.

특히, ESF*는 외부 자극에 의해 쉽게 영향을 받을 수 있다.

▶ 컵

③ _NF_: 열정적, 통찰적인 유형(The enthusiastic and insightful types)

인간에 대한 열정과 이상을 추구하며, 가치 중심적이다.

또한, 신념이 강하고, 의사소통 면에서 뛰어나다.

▶ 완드

④ _NT_: 논리적, 창의적인 유형(The logical and ingenious types)

많은 아이디어를 가지며, 실천보다 개념을 중시한다.

직접 올라가기보다는 저기가 고지라고 마음속으로 부르짖는다.

▶ 소드

	시종				기사				여왕				왕			
	P								J							
	I				E				I				E			
완드 N	I	N	F	P	E	N	F	P	I	N	F	J	E	N	F	J
컵 F	I	S	F	P	E	S	F	P	I	S	F	J	E	S	F	J
소드 T	I	N	T	P	E	N	T	P	I	N	T	J	E	N	T	J
펜타클 S	I	S	T	P	E	S	T	P	I	S	T	J	E	S	T	J

ISTJ	ISFJ	INFJ	INTJ
4. 황제	5. 교황	2. 고위여사제	9. 은둔자
펜타클 여왕	컵 여왕	완드 여왕	소드 여왕
ISTP	**ISFP**	**INFP**	**INTP**
8. 힘	14. 절제	6. 연인	12. 매달린 사람
펜타클 시종	컵 시종	완드 시종	소드 시종
ESTP	**ESFP**	**ENFP**	**ENTP**
7. 전차	15. 악마	0. 바보	1. 마법사
펜타클 기사	컵 기사	완드 기사	소드 기사
ESTJ	**ESFJ**	**ENFJ**	**ENTJ**
11. 정의	3. 여황	10.운명의수레바퀴	13. 죽음
펜타클 왕	컵 왕	완드 왕	소드 왕

• MBTI 코트 카드 16장

메이저 카드 22장 중 16장에 융합된 MBTI와 마이너 카드 중 코트 카드 16장에 융합된 MBTI 성격 유형이 동일하다고 하더라도 MBTI 타로카드 실전 상담에서는 큰 차이가 있다. 즉, 메이저 카드는 나와 직접적으로 관련이 있는 카드이기 때문에, 메이저 카드 22장 중 16장에 융합된 MBTI 타로카드는 나, 나와 직접적으로 연관된 사람을 의미하며, 마이너 카드는 나와 간접적으로 관련이 있는 주변 사람을 의미하는 카드이기 때문에 마이너 카드 16장에 융합된 MBTI 타로카드는 주변 인물, 나와 간접적으로 연관된 사람을 의미한다. 자세한 내용과 전문적인 실전 상담 노하우는 MBTI 타로상담 코칭전문가 전문과정에서 소개하도록 한다.

3 MBTI 타로카드 78장

	숫자	유니버셜 제목	만다라 타로카드		MBTI 타로카드 제목
			제목	의미	
메이저 카드	0	바보	자유	새로운 모험	ENFP
	1	마법사	창조	창조적 능력	ENTP
	2	고위여사제	지혜	신비로운 지혜	INFJ
	3	여황	풍요	풍요로운 여유	ESFJ
	4	황제	권위	강인한 힘	ISTJ
	5	교황	조언	현명한 조언자	ISFJ
	6	연인	사랑	사랑과 선택	INFP
	7	전차	추진	강한 추진력	ESTP
	8	힘	용기	내적인 자신감	ISTP
	9	은둔자	성찰	내적인 성찰	INTJ
	10	운명의 수레바퀴	순환	운명적인 순환	ENFJ
	11	정의	정의	합리적 판단	ESTJ
	12	매달린 사람	정체	상황적 정체	INTP
	13	죽음	죽음	종말과 시작	ENTJ
	14	절제	절제	적절한 조절	ISFP
	15	악마	집착	한쪽에 치우침	ESFP
	16	타워	변화	갑작스러운 변화	F
	17	별	희망	희망찬 미래	N
	18	달	근심	불안한 상황	I
	19	태양	행복	성취의 에너지	E
	20	심판	심판	보상과 판결	T
	21	세계	완성	완성과 또 다른 시작	S

마이너카드	완드	ACE	완드 ACE	에너지	강력한 에너지	**ENFA**
		2	완드 2	확장	계획의 확장	**ENF II**
		3	완드 3	도전	큰 도전	**ENFIII**
		4	완드 4	안정	안정된 승리	**ENFIV**
		5	완드 5	경쟁	사소한 경쟁	**ENF V**
		6	완드 6	합심	합심을 통한 승리	**ENFVI**
		7	완드 7	저항	강한 저항	**ENFVII**
		8	완드 8	빠른 이동	빠른 진행	**ENFVIII**
		9	완드 9	힘겨움	힘겨운 상황	**ENFIX**
		10	완드 10	과부하	과도한 욕망	**ENF X**
		시종	완드 시종	호기심	넘치는 호기심	**INFP**
		기사	완드 기사	성급함	불타오르는 열정	**ENFP**
		여왕	완드 여왕	욕망	정열적인 욕망	**INFJ**
		왕	완드 왕	통찰력	강력한 통찰력	**ENFJ**
	컵	ACE	컵 ACE	감정	감정의 충만	**ISFA**
		2	컵 2	관계	관계의 교류	**ISF II**
		3	컵 3	축배	만족스러운 결과	**ISFIII**
		4	컵 4	권태	감정의 침체기	**ISFIV**
		5	컵 5	실망	실망스러움	**ISF V**
		6	컵 6	순수	순수함	**ISFVI**
		7	컵 7	백일몽	허황된 망상	**ISFVII**
		8	컵 8	전환	새로운 전환	**ISFVIII**
		9	컵 9	만족	감정적 만족	**ISFIX**
		10	컵 10	해피엔딩	가정의 행복	**ISF X**
		시종	컵 시종	호감	호감이 싹트는	**ISFP**
		기사	컵 기사	제안	로맨틱한 제안	**ESFP**
		여왕	컵 여왕	감성	충만한 감성	**ISFJ**
		왕	컵 왕	관대	너그러운 자애	**ESFJ**
	소드	ACE	소드 ACE	의지	강한 의지	**ENTA**
		2	소드 2	갈등	사고적 갈등	**ENT II**
		3	소드 3	상처	마음의 상처	**ENTIII**
		4	소드 4	휴식	여유와 안정	**ENTIV**
		5	소드 5	패배	경쟁에서의 패배	**ENT V**
		6	소드 6	이동	안정을 향한 이동	**ENTVI**
		7	소드 7	경솔	경솔함	**ENTVII**
		8	소드 8	진퇴양난	진퇴양난	**ENTVIII**
		9	소드 9	스트레스	스트레스	**ENTIX**
		10	소드 10	파멸	파멸	**ENT X**
		시종	소드 시종	부주의	부주의	**INTP**
		기사	소드 기사	행동력	행동력	**ENTP**
		여왕	소드 여왕	정신력	강한 정신력	**INTJ**
		왕	소드 왕	카리스마	카리스마	**ENTJ**

펜타클	ACE	펜타클 ACE	수익	수익 창출	ISTA
	2	펜타클 2	양자택일	양자택일	IST II
	3	펜타클 3	협력	역할 분배	ISTIII
	4	펜타클 4	소유	소유욕	ISTIV
	5	펜타클 5	궁핍	경제적 어려움	IST V
	6	펜타클 6	분배	균등한 분배	ISTVI
	7	펜타클 7	심사숙고	심사숙고	ISTVII
	8	펜타클 8	근면 성실	근면 성실	ISTVIII
	9	펜타클 9	보상	만족스러운 보상	ISTIX
	10	펜타클 10	화목	가정의 평화	IST X
	시종	펜타클 시종	목표	목표 설정	ISTP
	기사	펜타클 기사	신중함	실용적 계획	ESTP
	여왕	펜타클 여왕	헌신	헌신적 사랑	ISTJ
	왕	펜타클 왕	경제력	경제적 능력	ESTJ

4 MBTI 타로카드 이미지

MBTI 타로카드에 사용된 상징 체계를 소개한다.

특히, MBTI 타로카드에 사용된 만다라 그림에 S, T, F, N 등의 글씨 등이 겹치지 않아 만다라의 에너지가 끊어지지 않게 개인별 만다라의 독립성을 중요시했다.

(1) 메이저 카드 22장

① 메이저 카드 0번~15번

	숫자	유니버셜 제목	MBTI 타로카드 제목	비고		
메이저 카드	0	바보	ENFP (완드 기사)	E : 불, 공기 N : 불 F : 물 P : 흙, 불	불	3
					물	1
					공기	1
					흙	1
	1	마법사	ENTP (소드 기사)	E : 불, 공기 N : 불 T : 공기 P : 흙, 불	불	3
					물	0
					공기	2
					흙	1

2	고위여사제	INFJ (완드 여왕)	I : 물, 흙 N : 불 F : 물 J : 물, 공기	불 물 공기 흙	1 3 1 1
3	여황	ESFJ (컵 왕)	E : 불, 공기 S : 흙 F : 물 J : 물, 공기	불 물 공기 흙	1 2 2 1
4	황제	ISTJ (펜타클 여왕)	I : 물, 흙 S : 흙 T : 공기 J : 물, 공기	불 물 공기 흙	0 2 2 2
5	교황	ISFJ(양) (컵 여왕)	I : 물, 흙 S : 흙 F : 물 J : 물, 공기	불 물 공기 흙	0 3 1 2
6	연인	INFP (완드 시종)	I : 물, 흙 N : 불 F : 물 P : 흙, 불	불 물 공기 흙	2 2 0 2
7	전차	ESTP (펜타클 기사)	E : 불, 공기 S : 흙 T : 공기 P : 흙, 불	불 물 공기 흙	2 0 2 2
8	힘	ISTP (펜타클 시종)	I : 물, 흙 S : 흙 T : 공기 P : 흙, 불	불 물 공기 흙	1 1 1 3
9	은둔자	INTJ(양) (소드 여왕)	I : 물, 흙 N : 불 T : 공기 J : 물, 공기	불 물 공기 흙	1 2 2 1
10	운명의 수레바퀴	ENFJ(음) (완드 왕)	E : 불, 공기 N : 불 F : 물 J : 물, 공기	불 물 공기 흙	2 2 2 0

11	정의	**ESTJ (펜타클 왕)**	**E : 불, 공기 S : 흙 T : 공기 J : 물, 공기**	불 물 공기 흙	1 1 3 1
12	매달린 사람	**INTP (소드 시종)**	**I : 물, 흙 N : 불 T : 공기 P : 흙, 불**	불 물 공기 흙	2 1 1 2
13	죽음	**ENTJ (소드 왕)**	**E : 불, 공기 N : 불 T : 공기 J : 물, 공기**	불 물 공기 흙	2 1 3 0
14	절제	**ISFP (컵 시종)**	**I : 물, 흙 S : 흙 F : 물 P : 흙, 불**	불 물 공기 흙	1 2 0 3
15	악마	**ESFP (컵 기사)**	**E : 불, 공기 S : 흙 F : 물 P : 흙, 불**	불 물 공기 흙	2 1 1 2

이상 0번부터 15번까지 16장의 타로카드의 제목과 영문 제목, MBTI 유형, 4기능을 한눈에 볼 수 있게 정리하면 아래와 같다.

넘버	제목	영문 제목	MBTI 유형	기능			
				주	부	3차	열등
0	자유	FREEDOM.	**ENFP**	Ne	Fi	T	Si
1	창조	CREATIVITY.	**ENTP**	Ne	Ti	F	Si
2	지혜	WISDOM.	**INFJ**	Ni	Fe	T	Se
3	풍요	ABUNDANT.	**ESFJ**	Fe	Si	N	Ti
4	권위	POWER.	**ISTJ**	Si	Te	F	Ne
5	조언	ADVISE.	**ISFJ**	Si	Fe	T	Ne
6	사랑	LOVE.	**INFP**	Fi	Ne	S	Te
7	추진	DRIVING FORCE.	**ESTP**	Se	Ti	F	Ni
8	용기	BRAVERY.	**ISTP**	Ti	Se	N	Fe
9	성찰	INTROSPECTION.	**INTJ**	Ni	Te	F	Se
10	순환	CIRCULATION.	**ENFJ**	Fe	Ni	S	Ti

11	정의	JUSTICE.	**ESTJ**	Te	Si	N	Fi	
12	정체	STAGNATION.	**INTP**	Ti	Ne	S	Fe	
13	죽음	DEATH.	**ENTJ**	Te	Ni	S	Fi	
14	절제	MODERATION.	**ISFP**	Fi	Se	N	Te	
15	집착	OBSESSION.	**ESFP**	Se	Fi	T	Ni	

또한, e와 i의 의미는 양각, 음각으로 구분한 상징의 의미로 표현하였다.

e	Ⓢ	Ⓣ	Ⓕ	Ⓝ
i	S	T	F	N

② 메이저 카드 16번~21번

	넘버	영문 제목	제목	MBTI 제목	4원소 연계
메이저 카드	16	CHANGE.	타워	F	F : 물
	17	HOPE.	별	N	N : 불
	18	WORRY.	달	I	I : 물, 흙
	19	HAPPINESS.	태양	E	E : 불, 공기
	20	JUDGEMENT.	심판	T	T : 공기
	21	COMPLETION.	세계	S	S : 흙

(2) 마이너 카드 56장

① 숫자(PIP) 카드 40장(각 4원소, ACE~10번)

마이너카드	완드	ACE	완드 ACE	**ENFA**	**E : 불, 공기 N : 불 F : 물 A**	불	2
		2	완드 2	**ENF II**	**E : 불, 공기 N : 불 F : 물 II**	물	1
		3	완드 3	**ENFIII**	**E : 불, 공기 N : 불 F : 물 III**	공기	1
		4	완드 4	**ENFIV**	**E : 불, 공기 N : 불 F : 물 IV**	흙	0

마이너카드	완드	5	완드 5	**ENF V**	**E : 불, 공기 N : 불 F : 물 V**	불	2
		6	완드 6	**ENFVI**	**E : 불, 공기 N : 불 F : 물 VI**	물	1
		7	완드 7	**ENFVII**	**E : 불, 공기 N : 불 F : 물 VII**	공기	1
		8	완드 8	**ENFVIII**	**E : 불, 공기 N : 불 F : 물 VIII**	흙	0
		9	완드 9	**ENFIX**	**E : 불, 공기 N : 불 F : 물 IX**		
		10	완드 10	**ENF X**	**E : 불, 공기 N : 불 F : 물 X**		
	컵	ACE	컵 ACE	**ISFA**	**I : 물, 흙 S : 흙 F : 물 A**	불	0
		2	컵 2	**ISF II**	**I : 물, 흙 S : 흙 F : 물 II**	물	2
		3	컵 3	**ISFIII**	**I : 물, 흙 S : 흙 F : 물 III**	공기	0
		4	컵 4	**ISFIV**	**I : 물, 흙 S : 흙 F : 물 IV**	흙	2
		5	컵 5	**ISF V**	**I : 물, 흙 S : 흙 F : 물 V**		

마이너카드	컵	6	컵 6	ISFVI	I : 물, 흙 S : 흙 F : 물 VI	불 물 공기 흙	0 2 0 2
		7	컵 7	ISFVII	I : 물, 흙 S : 흙 F : 물 VII		
		8	컵 8	ISFVIII	I : 물, 흙 S : 흙 F : 물 VIII		
		9	컵 9	ISFIX	I : 물, 흙 S : 흙 F : 물 IX		
		10	컵 10	ISF X	I : 물, 흙 S : 흙 F : 물 X		
	소드	ACE	소드 ACE	ENTA	E : 불, 공기 N : 불 T : 공기 A	불 물 공기 흙	2 0 2 0
		2	소드 2	ENT II	E : 불, 공기 N : 불 T : 공기 II		
		3	소드 3	ENTIII	E : 불, 공기 N : 불 T : 공기 III		
		4	소드 4	ENTIV	E : 불, 공기 N : 불 T : 공기 IV		
		5	소드 5	ENT V	E : 불, 공기 N : 불 T : 공기 V		
		6	소드 6	ENTVI	E : 불, 공기 N : 불 T : 공기 VI		

마이너카드	소드	7	소드 7	ENTVII	E : 불, 공기 N : 불 T : 공기 VII	불	2
		8	소드 8	ENTVIII	E : 불, 공기 N : 불 T : 공기 VIII	물	0
		9	소드 9	ENTIX	E : 불, 공기 N : 불 T : 공기 IX	공기	2
		10	소드 10	ENT X	E : 불, 공기 N : 불 T : 공기 X	흙	0
	펜타클	ACE	펜타클 ACE	ISTA	I : 물, 흙 S : 흙 T : 공기 A		
		2	펜타클 2	IST II	I : 물, 흙 S : 흙 T : 공기 II	불	0
		3	펜타클 3	ISTIII	I : 물, 흙 S : 흙 T : 공기 III	물	1
		4	펜타클 4	ISTIV	I : 물, 흙 S : 흙 T : 공기 IV		
		5	펜타클 5	IST V	I : 물, 흙 S : 흙 T : 공기 V	공기	1
		6	펜타클 6	ISTVI	I : 물, 흙 S : 흙 T : 공기 VI	흙	2
		7	펜타클 7	ISTVII	I : 물, 흙 S : 흙 T : 공기 VII		

마이너카드	펜타클	8	펜타클 8	ISTVIII	I : 물, 흙 S : 흙 T : 공기 VIII	불	0
		9	펜타클 9	ISTIX	I : 물, 흙 S : 흙 T : 공기 IX	물	1
						공기	1
		10	펜타클 10	IST X	I : 물, 흙 S : 흙 T : 공기 X	흙	2

② 인물(COURT) 카드 16장(각 4원소 시종, 기사, 여왕, 왕)

마이너카드	완드	시종	완드 시종	INFP (6. 연인)	I : 물, 흙 N : 불 F : 물 P : 흙, 불	불	2
						물	2
						공기	0
						흙	2
		기사	완드 기사	ENFP (0. 바보)	E : 불, 공기 N : 불 F : 물 P : 불, 흙	불	3
						물	1
						공기	1
						흙	1
		여왕	완드 여왕	INFJ (2. 고위여사제)	I : 물, 흙 N : 불 F : 물 J : 물, 공기	불	1
						물	3
						공기	1
						흙	1
		왕	완드 왕	ENFJ (10. 운명의 수레바퀴)	E : 불, 공기 N : 불 F : 물 J : 물, 공기	불	2
						물	2
						공기	2
						흙	0
	컵	시종	컵 시종	ISFP (14. 절제)	I : 물, 흙 S : 흙 F : 물 P : 흙, 불	불	1
						물	2
						공기	0
						흙	3

마이너카드	컵	기사	컵 기사	ESFP (15. 악마)	E : 불, 공기 S : 흙 F : 물 P : 흙, 불	불	2
						물	1
						공기	1
						흙	2
		여왕	컵 여왕	ISFJ (5. 교황)	I : 물, 흙 S : 흙 F : 물 J : 물, 공기	불	0
						물	3
						공기	1
						흙	2
		왕	컵 왕	ESFJ (3. 여황)	E : 불, 공기 S : 흙 F : 물 J : 물, 공기	불	1
						물	2
						공기	2
						흙	1
	소드	시종	소드 시종	INTP (12. 매달린 사람)	I : 물, 흙 N : 불 T : 공기 P : 흙, 불	불	2
						물	1
						공기	1
						흙	2
		기사	소드 기사	ENTP (1. 마법사)	E : 불, 공기 N : 불 T : 공기 P : 흙, 불	불	3
						물	0
						공기	2
						흙	1
		여왕	소드 여왕	INTJ (9. 은둔자)	I : 물, 흙 N : 불 T : 공기 J : 물, 공기	불	1
						물	2
						공기	2
						흙	1
		왕	소드 왕	ENTJ (13. 죽음)	E : 불, 공기 N : 불 T : 공기 J : 물, 공기	불	2
						물	1
						공기	3
						흙	0
	펜타클	시종	펜타클 시종	ISTP (8. 힘)	I : 물, 흙 S : 흙 T : 공기 P : 흙, 불	불	1
						물	1
						공기	1
						흙	3
		기사	펜타클 기사	ESTP (7. 전차)	E : 불, 공기 S : 흙 T : 공기 P : 흙, 불	불	2
						물	0
						공기	2
						흙	2

		여왕	펜타클 여왕	ISTJ (4. 황제)	I : 물, 흙 S : 흙 T : 공기 J : 물, 공기	불 0 물 2 공기 2 흙 2
		왕	펜타클 왕	ESTJ (11. 정의)	E : 불, 공기 S : 흙 T : 공기 J : 물, 공기	불 1 물 1 공기 3 흙 1

이상의 마이너 카드 56장에 대한 제목을 한눈에 살펴볼 수 있도록 정리하면 아래와 같다.

마이너카드	완드	컵	소드	펜타클
ACE	ENFA	ISFA	ENTA	ISTA
2	ENF II	ISF II	ENT II	IST II
3	ENFIII	ISFIII	ENTIII	ISTIII
4	ENFIV	ISFIV	ENTIV	ISTIV
5	ENF V	ISF V	ENT V	IST V
6	ENFVI	ISFVI	ENTVI	ISTVI
7	ENFVII	ISFVII	ENTVII	ISTVII
8	ENFVIII	ISFVIII	ENTVIII	ISTVIII
9	ENFIX	ISFIX	ENTIX	ISTIX
10	ENF X	ISF X	ENT X	IST X
시종	INFP	ISFP	INTP	ISTP
기사	ENFP	ESFP	ENTP	ESTP
여왕	INFJ	ISFJ	INTJ	ISTJ
왕	ENFJ	ESFJ	ENTJ	ESTJ

5 타로점과 타로 상담

예전에 타로는 상담이라는 용어보다는 숙명론적인 점(占)이라는 용어로 사용되고, 인식되었다. 국내에서 타로점(占)과 타로 상담을 명확히 구분하기 시작한 것은 채 10여 년 남짓밖에 되지 않는다. 이때 즈음부터 국내 최대 상담학회에서 타로 상담을 통해 학회 전문가 수련 시간을 인정해 주기 시작했으며, 상담을 전공한 많은 상담전문가가 타로를 상담으로 연결하여 발전시켰다.

여기에는 본 저자들의 역할도 컸다. 특히, 대표 저자 최지훤은 국내 최초로 대학 평생교육원과 교육 관련 교직원을 대상으로 타로 상담 관련 전문 강의와 교원연수를 동시 개설한 선구자였다.

타로점(占)은 운명론적인 관점으로 인간이 타고난 운명에 의해 미래는 정해져 있고, 그 미래의 상황을 예측하고 파악하는 것으로, 단순한 예언적인 부분이라 할 수 있다.

타로 상담은 타로점의 미래 예측적인 부분은 동일시되지만, 현재 상황과 과정을 변화시킴으로 긍정적인 미래를 설계한다는 미래 설계, 미래 개척적인 부분이라고 할 수 있다.

즉, 현재 상황에서의 미래를 파악하여, 그 미래를 긍정적인 방향으로 설계, 이끌기 위해 현재부터 미래 시점까지의 상황적 변화를 노력의 과정을 통해 업그레이드한다는 것이다.

이 타로점과 타로 상담은 다른 시각으로 살펴본다면, 외부 방향성과 내부 방향성으로 구분할 수 있다. 타로점은 결과적인 부분을 외부에서 찾게 된다는 것이고, 타로 상담은 문제 해결적인 부분을 외부와 내부 모두에서 찾게 된다는 것이다.

하지만, 과학 문명이 발달함에 따라 오히려 인간의 내면, 심리적인 부분을 파악하길 원하는 인간의 욕구는 더욱 강해졌다.

1980년대 후반 오쇼젠 타로카드가 만들어질 때, 바로 이런 이유로 전세계적인 인기를 얻게 된 것이며 역사가 채 얼마 되지 않은 심볼론 타로카드, 컬러 타로카드 등이 높은 인기를 얻는 것도 상당 부분 이런 이유일 것이다.

심도 있게 생각해 본다면 국내에서도 10여 년 전 타로점이라는 외부 상황의 예측 중요성에서 타로 상담이라는 영역의 도입으로 인간 내면의 중요성을 인식하게 되는 조그마한 계기였다고 할 수도 있다.

특히, 4차 산업 혁명의 시대를 살아가고 있는 현대인에게 내면의 정보 파악 및 내면과의 커뮤니케이션은 절대적으로 필요한 과정이며, 이를 효율적으로 사용할 수 있는 도구의 필요성은 절실한 상황이다.

참고로, 카드가 '타로카드'라는 용어로 사용되기 위해서는 메이저 카드 22장, 마이너 카드 56장, 총 78장으로 구성되어야 함은 물론이거니와 4원소인 완드, 컵, 소드, 펜타클이 마이너 카드에 타로카드의 원리에 맞게 구성되어야 한다. 이를 만족하지 못하는 카드는 타로카드가 아닌 오라클 카드라는 용어로 사용되어야 할 것이다.

❻ 내면을 파악하는 타로카드

(1) 오쇼젠 타로카드

오쇼젠 타로카드는 내면의 상태를 파악하는 용도로 세계적인 인기를 얻고 있는 타로카드 중 하나이다. 내면을 파악하는 다른 타로카드 중 오쇼젠 타로카드가 갖는 가장 큰 특징은 바로, 현재의 내면 상태를 파악한다는 점이다.

오쇼젠 타로카드는 세계적인 명상가이며 철학자인 인도의 오쇼 라즈니쉬의 생전 강의 내용, 설교 등의 명언을 이미지화하여 마 데바 파드마(Ma Deva Padma; Susan Morgan)가 창작과 내면 세계의 체험을 결합하고자 하는 탐구를 통해 1989년 제작을 시작하여 4년여의 제작 기간을 통해 완성된 명상 타로 카드로 알려져 있다.

아쉬운 점은 오쇼 라즈니쉬의 생전 강연, 설교 등의 명언을 이미지화하여 타로카드를 제작하다 보니, 내면의 전반 사항을 타로카드에 담지 못했다는 점과 오컬트 및 신비주의, 카발라적인 타로카드의 숨은 비의를 제대로 녹여 내지 못했다는 점이다.

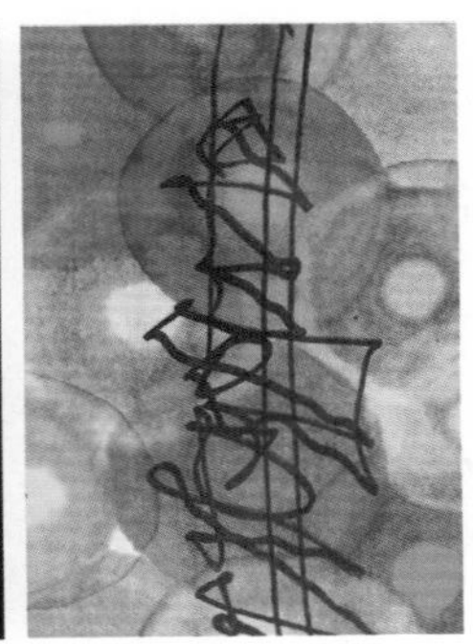

(2) 심볼론 타로카드

심볼론 타로카드 또한 내면의 상태를 파악하는 세계적인 인기를 얻고 있는 타로카드 중 하나로 AGM-Urania사가 제작하였다. 특히, 심볼론 타로카드는 인간의 성격과 내면 상태를 파악할 수 있는 타로카드로 10 행성과 12별자리 점성학을 기본으로 타로카드를 이미지화했다는 특징을 가지고 있다.

심볼론 카드는 과거의 상처를 해결할 수 있는 경험을 우리에게 제공한다. 비록 의식에서 파악하지 못하는 마음속 깊은 곳의 상처라고 하더라도 과거의 문제 상황, 문제 경험을 현재의 우리 눈 앞에 펼쳐지게 한다.

심볼론 카드를 효율적으로 사용한다면 문득문득 떠오르거나 무의식 속에서 나타나는 여러 가지, 나의 발목을 잡는 상황의 근본 문제를 파악할 수도 있으며, 그 근본 문제를 파악함으로써 우리의 발목을 잡는 문제 상황에서 벗어날 수 있다.

아쉬운 점은 심볼론 카드를 완벽히 이해하고 상담에 접목하기 위해서는 심볼론 카드 78장의 의미를 명확히 파악해야 함은 물론, 12별자리 10행성을 포함한 4원소, 3대 특(자)질, 양극성을 파악할 필요가 있다는 점과 오컬트 및 신비주의, 카발라적인 타로카드의 숨은 비의를 제대로 녹여내지 못했다는 점이다.

(3) 컬러타로상담카드

컬러타로상담카드는 평소에 의식하지 못하는 잠재의식과 연관된 무궁무진한 정보를 탐색하고 활용하여, 아름다운 미래를 설계하며 긍정적인 변화를 이끌고자 하는 의도로 도입되었다. 잠재의식의 정보를 외부로 표출하며 커뮤니케이션하는 대표적인 방법으로 손가락(핑거) 기법과 펜듈럼 기법 등이 있다. 하지만, 이 방법은 단순히 YES or NO의 이분법 체계에 의한 커뮤니케이션이거나 여러 과정을 거친 후에 원하는 정보를 얻을 수 있는 방법이다. 컬러타로상담카드는 잠재의식의 정보를 포괄적으로 얻을 수 있는 획기적인 도구이다. 이런 의미에서 컬러타로상담카드는 오쇼젠 타로카드의 내면의 전반 사항을 타로카드에 담지 못했다는 점의 한계를 보완한다. 또한, 오컬트 및 신비주의, 카발라적인 타로카드의 숨은 비의 중 특히 상징의 의미를 충실히 반영했다는 장점이 있다.

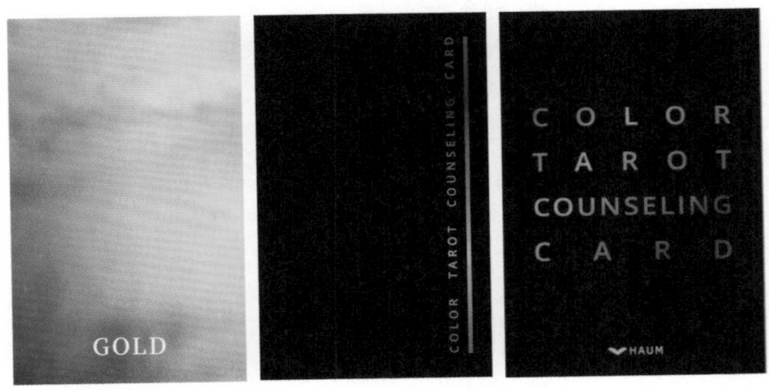

(4) 만다라 명상 & 타로카드

만다라(MANDALA)라는 용어는 고대 인도어인 산스크리트어로 바퀴, 원을 의미하며, 중심 또는 본질을 의미하는 '만다(MANDA)'와 소유, 성취를 의미하는 '라(LA)'로 이루어져 있다.

즉, 만다라는 하나의 원의 형태를 띠며, 중심을 향한 성취, 본질의 소유 등으로 해석될 수 있다. 만다라 명상 & 타로카드는 최고의 타로카드 상담전문가와 만다라 전문가가 '22장의 메이저 카드와 56장의 마이너 카드로 이루어진 78장의 타로카드의 구성 & 카발라, 오컬트적인 신비주의의 의미 가미'를 모두 접목하여 심혈을 기울인 세계적인 작품이다.

이처럼, 만다라 명상 & 타로카드는 카발라, 오컬트적인 신비주의의 의미가 가미되어, 수비학의 의미, 4원소의 의미 등을 접목할 수 있고, 타로카드 사용자는 본연의 직관적인 능력을 발휘할 수 있다. 이렇게 『만다라 명상 & 타로카드』는 타로카드 시스템을 완벽히 구현하며 수작업을 통해 제작된 세계 최초의 『만다라 명상 & 타로카드』라는 큰 의미를 갖는다.

(5) MBTI 타로카드

성격이란 각 개인이 지닌 특유한 성질이나 품성 또는 어떤 사물이나 현상 따위가 자체로 지니고 있는 성질을 말한다. 이 성격으로 한 개인을 평가하는 경우가 많아, 우리 삶, 인생에서 상당히 중요시되는 부분이기도 하다.

이런 나의 성격에 대한 타로카드의 접목은 미국의 엔젤리스 에리언(Angeles Arrien)이 1997년 『타로 핸드북』에 처음 소개하면서부터 현재까지 전 세계적인 인기를 끌어오며 인생 지침으로 삼아 왔는데, 일부 맞지 않는 부분이 발견되었다. 바로 성격의 페르소나 관련 부분 때문이다.

이를 해결하기 위해 십수 년간 심리학 박사 & 대학교수, MBTI 전문강사, 타로 그랜드마스터 등의 전문가가 원인을 분석하여 이런 문제점을 파악했고, 이 문제점을 해결한 세계 최초 MBTI 타로카드가 제작되었다.

78장의 『MBTI 타로카드』 중 메이저 카드 22장은 타로카드 0번~21

번의 22장의 체계에 따라 MBTI의 성격유형에 맞추어 주기능, 부기능, 3차 기능, 열등 기능과 특화된 내용으로 구성, 제작되었다. 또한, 『MBTI 타로카드』 중 마이너 카드 56장에 해당하는 숫자카드와 인물카드는 좀 더 세밀한 구분을 필요로 한다. 56장의 마이너 카드 중, 40장의 숫자(PIP) 카드는 MBTI의 기초 이론이 되었던 융의 인식, 판단기능의 4가지 심리 기능인 감각, 직관, 사고, 감정(S, N, T, F)과 에너지 방향 및 주의 초점에 따른 외향(E)과 내향(I)을 타로카드에 연계, 접목하여 구성, 제작되었다. 또한, 16장의 인물(COURT) 카드는 인물, 성향, 성격을 의미하는 카드이기에 MBTI의 성격유형에 맞추어 4원소의 특성과 함께 구성, 제작되었다.

『MBTI 타로카드』는 카발라, 오컬트적인 신비주의의 의미가 가미되어 수비학의 의미, 4원소의 의미 등이 접목되었기에 타로카드 사용자는 본연의 직관적인 능력도 발휘할 수 있다.

『MBTI 타로카드』는『만다라 명상 & 타로카드』를 토대로 십수 년간 심리학 박사 & 대학교수, MBTI 전문 강사, 타로그랜드마스터 등의 전문가가 합작하여 MBTI를 접목한, 세계 최초의 『MBTI 타로카드』라는 큰 의미를 갖는다.

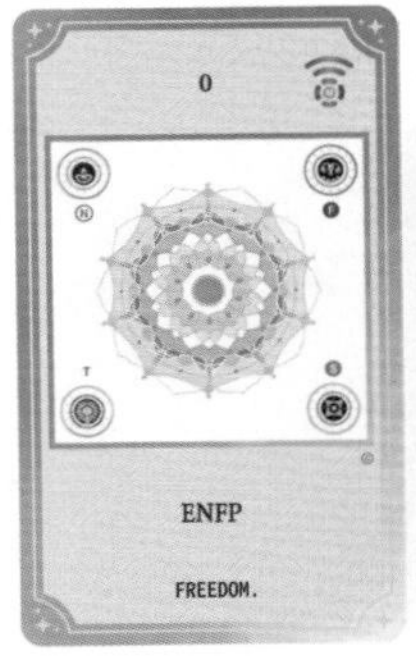

MBTI 타로카드 전문상담

1. MBTI 메이저 카드

0 ENFP - FREEDOM.

MBTI TAROT CARD

MBTI TAROT CARD

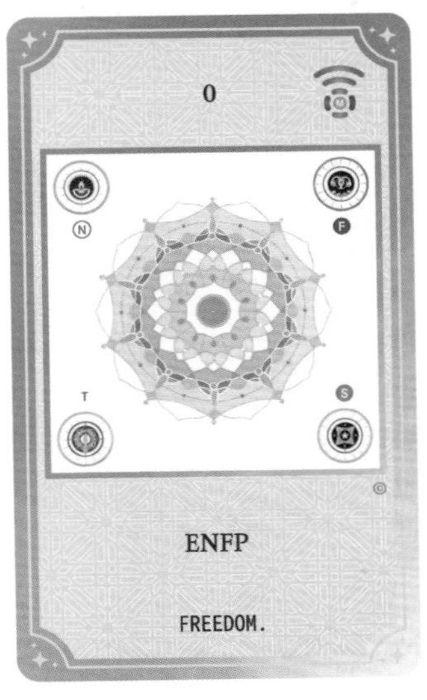

넘버		0
(icon)		불의 성향 : 3 물의 성향 : 1 공기의 성향 : 1 흙의 성향 : 1
기능	주	Ne
	부	Fi
	3차	T
	열등	Si

유니버셜웨이트	마르세이유

MBTI 타로카드 전문분해

제목	**ENFP**
주제어	FREEDOM.
의미	자유, 새로운 모험
MBTI 분석	E**P 적응력 있는 외향형 - 틀에 얽매이기 싫어하며, 자유분방하다. *NF* 열정적, 통찰적인 유형 - 신념이 강하고, 의사소통에 뛰어나다. **FP 온화한 유형 - 마음이 따뜻하고 감정에 민감하며, 정에 약하다. EN** 행동 지향적인 창안자 - 단순 반복 작업은 질색하며, 새로운 패턴을 구상한다. E*F* 행동 지향적 협력가 - 감정에 이끌려 행동으로 실행한다. *N*P 적응력 있는 창안자 - 변화와 개선을 중시하며, 가능성 있는 변화를 시도한다.
실전 상담 적용	1. 새로움을 추구하며, 틀에 얽매이기 싫어하며, 자유분방하다. 2. 체계적인 계획 수립 후 행동보다는 마음에 이끌려 행동한다. 3. 단순 반복 패턴보다는 새로운 패턴을 구상한다. 4. 즉흥적이며 변화와 개선을 시도한다.

1 ENTP - CREATIVITY.

MBTI TAROT CARD

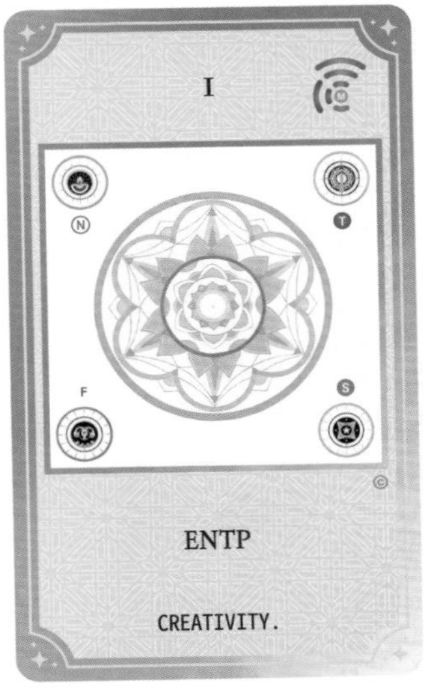

넘버		I
		불의 성향 : 3 물의 성향 : 0 공기의 성향 : 2 흙의 성향 : 1
기능	주	Ne
	부	Ti
	3차	F
	열등	Si

유니버셜웨이트	마르세이유

MBTI 타로카드 전문분해	
제목	**ENTP**
주제어	CREATIVITY.
의미	창조적 능력, 다재다능
MBTI 분석	E**P 적응력 있는 외향형 - 틀에 얽매이기 싫어하며, 자유분방하다. *NT* 논리적, 창의적인 유형 - 이론적 지식, 아이디어가 많다. **TP 적응력 있는 사고자 - 객관적이고 적응력 있는 사고로 호기심이 많다. EN** 행동 지향적인 창안자 - 단순 반복 작업은 질색하며, 새로운 패턴을 구상한다. E*T* 행동 지향적인 사고가 - 속전속결의 실천력, 행동력이 뛰어나다. *N*P 적응력 있는 창안자 - 변화와 개선을 중시하며, 가능성 있는 변화를 시도한다.
실전 상담 적용	1. 이론적 지식과 아이디어가 많은 명석한 두뇌를 소유하고 있다. 2. 독창적이고 분석적이며, 창조적이다. 3. 행동력이 높으며, 다재다능하고 영리하고 냉철하다. 4. 가능성 있는 변화를 시도하며, 탁월한 의사소통 능력을 소유하고 있다.

2 INFJ - WISDOM.

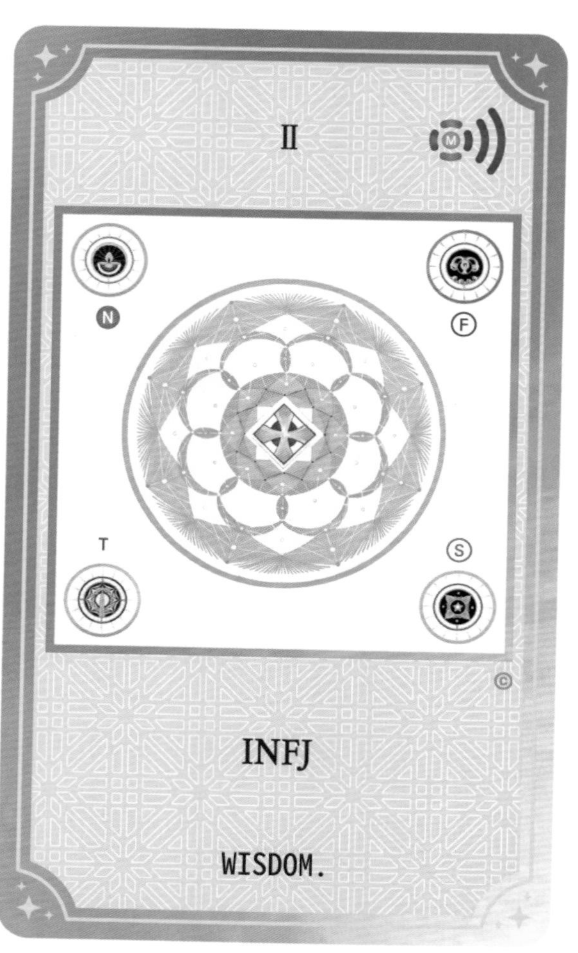

MBTI TAROT CARD

MBTI TAROT CARD

넘버		II
(M)		불의 성향 : 1 물의 성향 : 3 공기의 성향 : 1 흙의 성향 : 1
기능	주	Ni
	부	Fe
	3차	T
	열등	Se

유니버셜웨이트	마르세이유

MBTI 타로카드 전문분해	
제목	**INFJ**
주제어	WISDOM.
의미	신비로운 지혜, 직관적
MBTI 분석	I**J 결정 지향적인 내향형 - 주관, 인내를 가지고 조용히 자기 노선을 지키며, 강직한 지도자와 같은 모습을 보인다. *NF* 열정적, 통찰적인 유형 - 신념이 강하고, 의사소통에 뛰어나다. **FJ 호의적인 관리자 - 사람 관리에 뛰어나지만, 냉정하지 못하다. IN** 사려 깊은 창안자 - 아이디어나 사고의 범주가 차원이 다를 만큼 넓고도 깊다. 하지만, 사회 적응력이 약하게 보일 수 있다. I*F* 반추 지향적인 조화가 - 반추, 경청하며 상대의 말을 들어주는 입장 *N*J 비전을 가진 의사결정자 - 일관성 있게 추진력을 발휘하며 복잡한 것에 도전한다.
실전 상담 적용	1. 주관과 인내를 가지고 신비로운 지혜를 발휘한다. 2. 신념이 강하고 직관적이며, 빠른 육감을 소유하고 있다. 3. 아이디어나 사고의 범주가 차원이 다를 만큼 넓고도 깊으나 냉정하지 못하다. 4. 신중한 언행으로 주위와 조화를 시도하지만, 사회 적응력이 약하다.

❸ ESFJ - ABUNDANT.

MBTI TAROT CARD

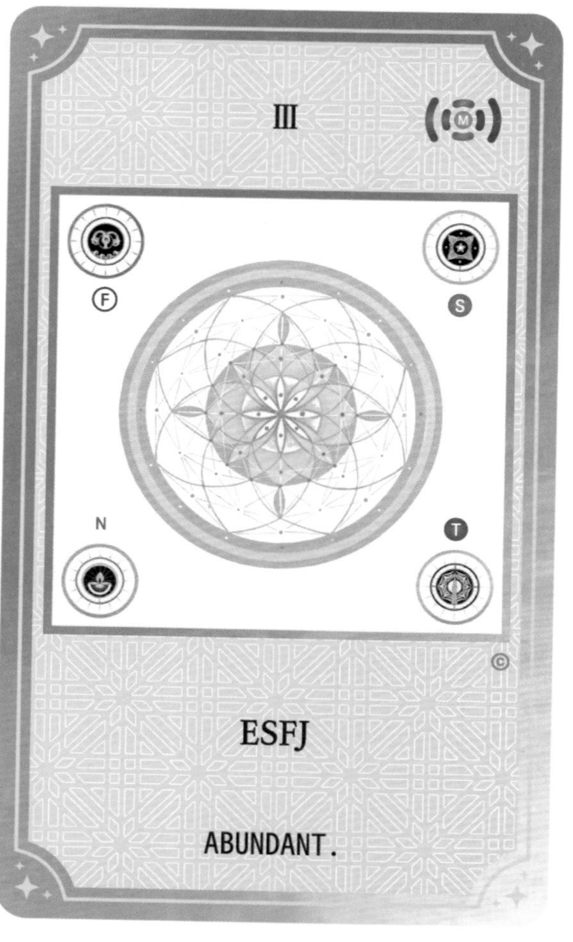

MBTI TAROT CARD

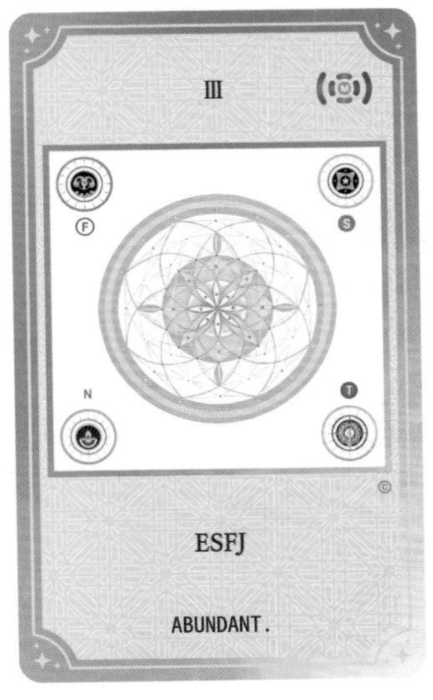

넘버		Ⅲ
(M)		불의 성향 : 1 물의 성향 : 2 공기의 성향 : 2 흙의 성향 : 1
기능	주	Fe
	부	Si
	3차	N
	열등	Ti

유니버셜웨이트	마르세이유

MBTI 타로카드 전문분해	
제목	**ESFJ**
주제어	ABUNDANT.
의미	풍요로운 여유, 성공적인 만족
MBTI 분석	E**J 결정 지향적인 외향형 - 신속하며, 확신에 차 있다. 눈에 띄는 솔선수범형 지도자. *SF* 동정적, 우호적인 유형 - 인간 중심적이라 감정에 민감하다. **FJ 호의적인 관리자 - 사람 관리에 뛰어나지만, 냉정하지 못하다. ES** 행동 지향적 현실주의자 - 능동적이며, 현실, 실용 위주로 선택한다. E*F* 행동 지향적 협력가 - 감정에 이끌려 행동으로 실행한다. *S*J 현실적 의사결정자 - 질서정연한 것을 추구하며, 보수적인 경향이 강하다. 조직적이며 신뢰할 만한 성품이다.
실전 상담 적용	1. 열정적이며 신속하고, 확신에 차 있다. 2. 사랑스럽고 아름다우며, 인간 중심적이라 감정에 민감하다. 3. 넉넉함과 풍요로운 여유를 즐긴다. 4. 능동적이고, 현실, 실용 위주로 행동한다.

4 ISTJ - POWER.

MBTI TAROT CARD

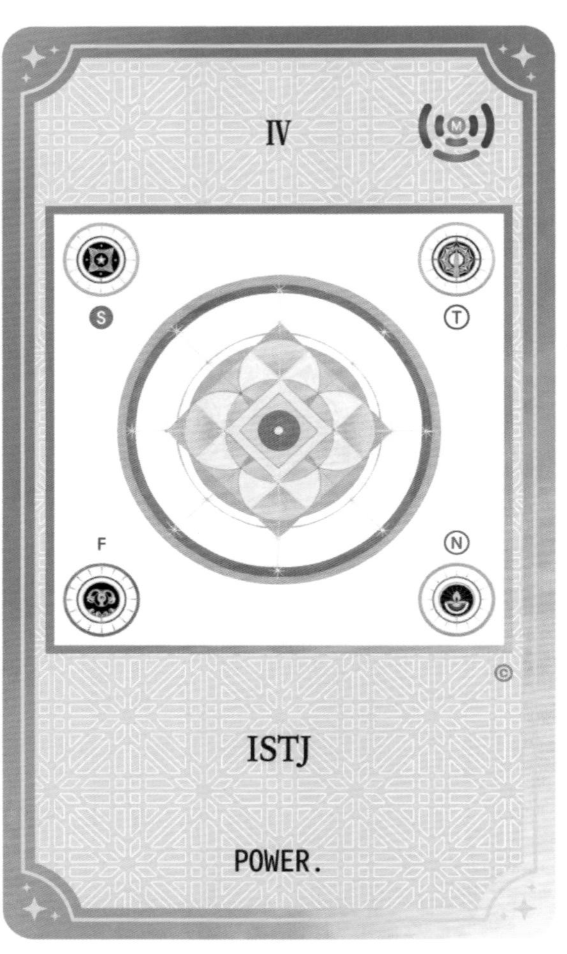

MBTI TAROT CARD

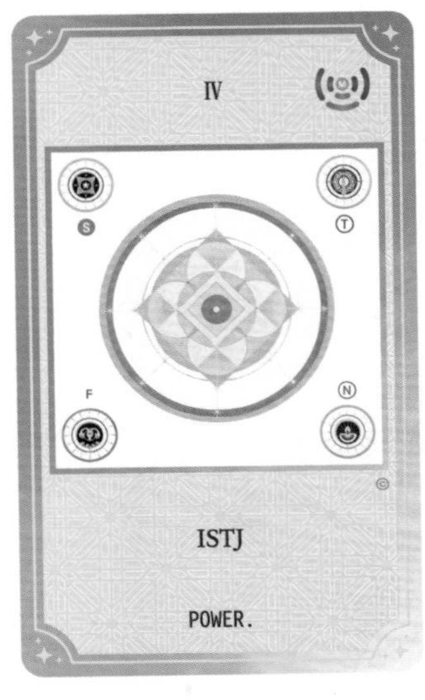

넘버		IV
		불의 성향 : 0 물의 성향 : 2 공기의 성향 : 2 흙의 성향 : 2
기능	주	Si
	부	Te
	3차	F
	열등	Ne

유니버설웨이트	마르세이유

MBTI 타로카드 전문분해	
제목	**ISTJ**
주제어	POWER.
의미	강인한 힘, 권위
MBTI 분석	I**J 결정 지향적인 내향형 - 주관, 인내를 가지고 조용히 자기 노선을 지키며, 강직한 지도자와 같은 모습을 보인다. *ST* 실제적이고 사실 중심적 유형 - 창작적이고 구름 잡는 이야기를 싫어한다. 실질적이고 사무적이며, 심리적으로 강인하다. **TJ 논리적인 의사결정자 - 강인함을 바탕으로 논리적인 의사결정을 한다. IS** 사려 깊은 현실주의자 - 구체적이고 치밀하다. 적용을 잘하며 상황의 세부적 포착에 능숙하다. I*T* 반추 지향적 추론가 - 좋고 싫은 것 등 자기표현이 없다. 끊고 맺는 것이 분명하고, 아무 말 하지 않으면 은근히 긴장감을 조성한다. *S*J 현실적 의사결정자 - 질서정연한 것을 추구하며, 보수적인 경향이 강하다. 조직적이며 신뢰할 만한 성품이다.
실전 상담 적용	1. 주관과 인내를 가지고 강직한 지도자와 같은 모습을 보인다. 2. 권위적이고, 지배적이며, 실질적이고 심리적으로 강인하다. 3. 강한 의지를 소유하고 있으며, 조직적이며 신뢰할 만한 성품이다. 4. 강한 고집을 소유한 독불장군형 리더십을 발휘한다.

5 ISFJ - ADVISE.

MBTI TAROT CARD

넘버		V
		불의 성향 : 0 물의 성향 : 3 공기의 성향 : 1 흙의 성향 : 2
기능	주	Si
	부	Fe
	3차	T
	열등	Ne

유니버셜웨이트	마르세이유

MBTI 타로카드 전문분해

제목	**ISFJ**
주제어	ADVISE.
의미	현명한 조언(자), 지혜로움
MBTI 분석	I**J 결정 지향적인 내향형 - 주관, 인내를 가지고 조용히 자기 노선을 지키며, 강직한 지도자와 같은 모습을 보인다. *SF* 동정적, 우호적인 유형 - 인간 중심적이라 감정에 민감하다. **FJ 호의적인 관리자 - 사람 관리에 뛰어나지만, 냉정하지 못하다. IS** 사려 깊은 현실주의자 - 구체적이고 치밀하다. 적용을 잘하며 상황의 세부적 포착에 능숙하다. I*F* 반추 지향적인 조화가 - 반추, 경청하며 상대의 말을 들어주는 입장 *S*J 현실적 의사결정자 - 질서정연한 것을 추구하며, 보수적인 경향이 강하다. 조직적이며 신뢰할 만한 성품이다.
실전 상담 적용	1. 주관, 인내를 가지고 조용히 자기 노선을 지키는 현명한 조언(자) 2. 구체적이고 치밀하다. 적용을 잘하는 등 지혜로운 사람이다. 3. 질서정연한 것을 추구하며, 보수적인 경향이 강해 전통을 중시한다. 4. 조직적이며 신뢰할 만한 성품으로 교육자, 중재(개) 역할을 한다.

6 INFP - LOVE.

MBTI TAROT CARD

MBTI TAROT CARD

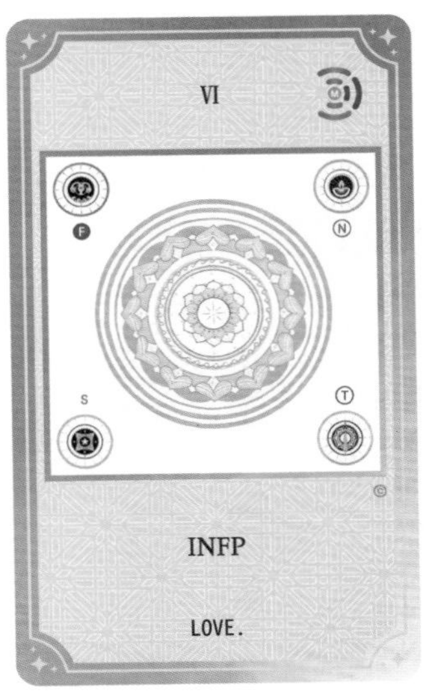

넘버		VI
		불의 성향 : 2 물의 성향 : 2 공기의 성향 : 0 흙의 성향 : 2
기능	주	Fi
	부	Ne
	3차	S
	열등	Te

유니버설웨이트	마르세이유

MBTI 타로카드 전문분해	
제목	**INFP**
주제어	LOVE.
의미	사랑과 선택, 인연
MBTI 분석	I**P 적응력 있는 내향형 - 유순하게 보이며, 고집하지 않는다. 설득력에 가치를 두지 않으며, 적응력이 중요하다. *NF* 열정적, 통찰적인 유형 - 신념이 강하고, 의사소통에 뛰어나다. **FP 온화한 유형 - 마음이 따뜻하고 감정에 민감하며, 정에 약하다. IN** 사려 깊은 창안자 - 아이디어와 사고의 범주가 차원이 다를 만큼 넓고도 깊다. 하지만, 사회 적응력이 약하게 보일 수 있다. I*F* 반추 지향적인 조화가 - 반추, 경청하며 상대의 말을 들어주는 입장 *N*P 적응력 있는 창안자 - 변화와 개선을 중시하며, 가능성 있는 변화를 시도한다.
실전 상담 적용	1. 문제 상황을 되풀이하여 음미하며 생각하고, 상대의 말을 경청하며 선택한다. 2. 마음이 따뜻하고 감정에 민감하며, 사람과의 인연, 정(사랑)에 약하다. 3. 변화와 개선을 중시하며, 가능성 있는 변화를 시도한다. 4. 설득력에 가치를 두지 않으며, 신념이 강하고, 의사소통에 뛰어나다.

7 ESTP - DRIVING FORCE.

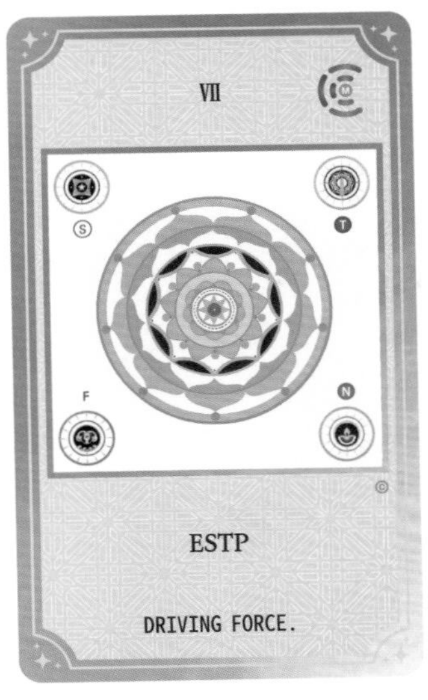

넘버		VII
(M)		불의 성향 : 2 물의 성향 : 0 공기의 성향 : 2 흙의 성향 : 2
기능	주	Se
	부	Ti
	3차	F
	열등	Ni

유니버셜웨이트	마르세이유

MBTI 타로카드 전문분해	
제목	**ESTP**
주제어	DRIVING FORCE.
의미	강한 추진력, 강한 의지
MBTI 분석	E**P 적응력 있는 외향형 - 틀에 얽매이기 싫어하며, 자유분방하다. *ST* 실제적이고 사실 중심적 유형 - 창작적이고 구름 잡는 이야기를 싫어한다. 실질적이고 사무적이며, 심리적으로 강인하다. **TP 적응력 있는 사고자 - 객관적이고 적응력 있는 사고로 호기심이 많다. ES** 행동 지향적 현실주의자 - 능동적이며, 현실, 실용 위주로 선택한다. E*T* 행동 지향적인 사고가 - 속전속결의 실천력, 행동력이 뛰어나다. *S*P 적응력 있는 현실주의자 - 새로운 경험을 중시하며, 순발력, 순응력이 뛰어나다.
실전 상담 적용	1. 순발력, 순응력이 뛰어나며 강한 추진력을 보인다. 2. 강한 의지, 강한 자신감으로 속전속결의 실천력, 행동력이 뛰어나다. 3. 틀에 얽매이기 싫어하며, 적극적 행동을 취한다. 4. 객관적이고 능동적이며, 현실, 실용 위주로 성공을 향해 진취적으로 나아간다.

8 ISTP - BRAVERY.

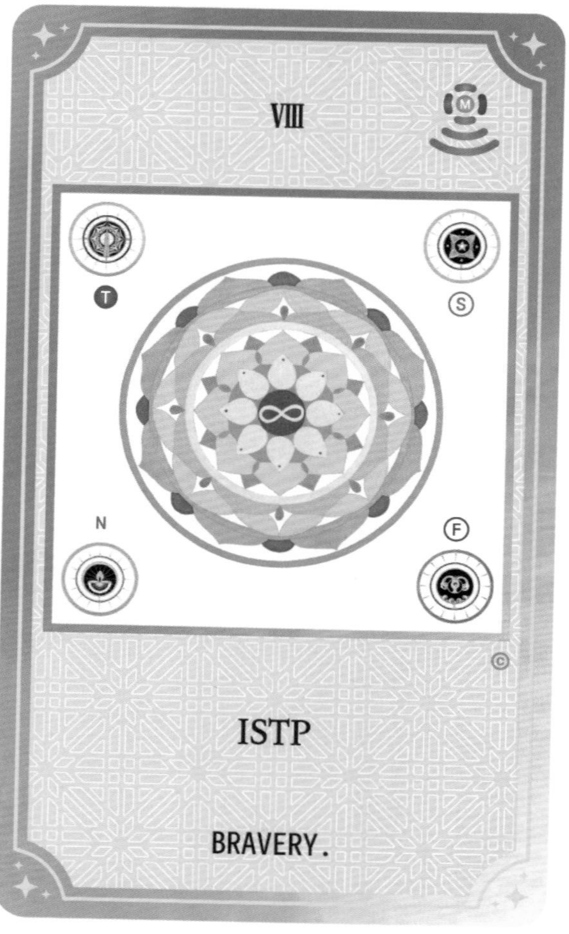

MBTI TAROT CARD

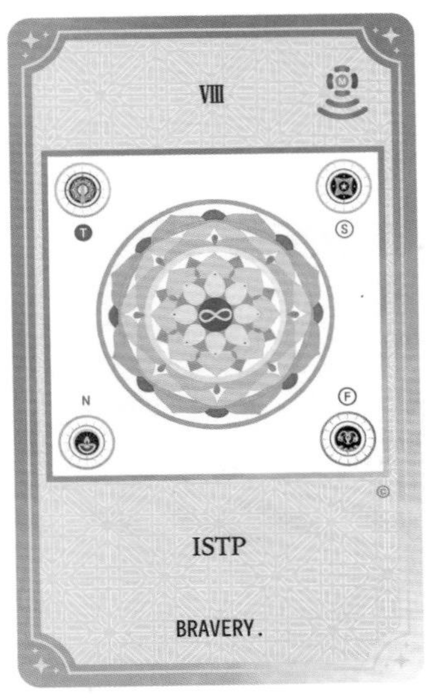

넘버		Ⅷ
		불의 성향 : 1 물의 성향 : 1 공기의 성향 : 1 흙의 성향 : 3
기능	주	Ti
	부	Se
	3차	N
	열등	Fe

유니버셜웨이트	마르세이유

MBTI 타로카드 전문분해

제목	**ISTP**
주제어	BRAVERY.
의미	내적인 자신감, 외유내강
MBTI 분석	I**P 적응력 있는 내향형 - 유순하게 보이며, 고집하지 않는다. 설득력에 가치를 두지 않으며, 적응력이 중요하다. *ST* 실제적이고 사실 중심적 유형 - 창작적이고 구름 잡는 이야기를 싫어한다. 실질적이고 사무적이며, 심리적으로 강인하다. **TP 적응력 있는 사고자 - 객관적이고 적응력 있는 사고로 호기심이 많다. IS** 사려 깊은 현실주의자 - 구체적이고 치밀하다. 적용을 잘하며 상황의 세부적 포착에 능숙하다. I*T* 반추 지향적 추론가 - 좋고 싫은 것 등 자기표현이 없다. 끊고 맺는 것이 분명하고, 아무 말 하지 않으면 은근히 긴장감을 조성한다. *S*P 적응력 있는 현실주의자 - 새로운 경험을 중시하며, 순발력, 순응력이 뛰어나다.
실전 상담 적용	1. 적용을 잘하며 상황의 세부적 포착에 능숙하며, 내적인 자신감을 갖는다. 2. 유순하게 보이며, 심리적으로 강인하다. 외유내강(外柔內剛) 3. 순발력, 순응력이 뛰어나며, 용기, 인내를 소유하고 있다. 4. 사려 깊으며, 구체적이고 치밀한 지혜로움을 보인다.

9 INTJ - INTROSPECTION.

MBTI TAROT CARD

넘버		IX
		불의 성향 : 1 물의 성향 : 2 공기의 성향 : 2 흙의 성향 : 1
기능	주	Ni
	부	Te
	3차	F
	열등	Se

유니버셜웨이트	마르세이유

MBTI 타로카드 전문분해	
제목	**INTJ**
주제어	INTROSPECTION.
의미	내적인 성찰, 자아 성찰, 지혜
MBTI 분석	I**J 결정 지향적인 내향형 - 주관, 인내를 가지고 조용히 자기 노선을 지키며, 강직한 지도자와 같은 모습을 보인다. *NT* 논리적, 창의적인 유형 - 이론적 지식, 아이디어가 많다. **TJ 논리적인 의사결정자 - 강인함을 바탕으로 논리적인 의사결정을 한다. IN** 사려 깊은 창안자 - 아이디어와 사고의 범주가 차원이 다를 만큼 넓고도 깊다. 하지만, 사회 적응력이 약하게 보일 수 있다. I*T* 반추 지향적 추론가 - 좋고 싫은 것 등 자기표현이 없다. 끊고 맺는 것이 분명하고, 아무 말 하지 않으면 은근히 긴장감을 조성한다. *N*J 비전을 가진 의사결정자 - 일관성 있게 추진력을 발휘하며 복잡한 것에 도전한다.
실전 상담 적용	1. 주관, 인내를 가지고 조용히 자기 노선을 지키며, 내적인 성찰을 이끈다. 2. 이론적 지식, 아이디어가 많으며, 철학적 지혜가 뛰어나다. 3. 탐구, 연구자로서의 아이디어와 사고의 범주가 차원이 다를 만큼 넓고도 깊다. 4. 사회 적응력이 약하여, 개인 연구, 탐구에 에너지를 발휘한다.

⑩ ENFJ - CIRCULATION.

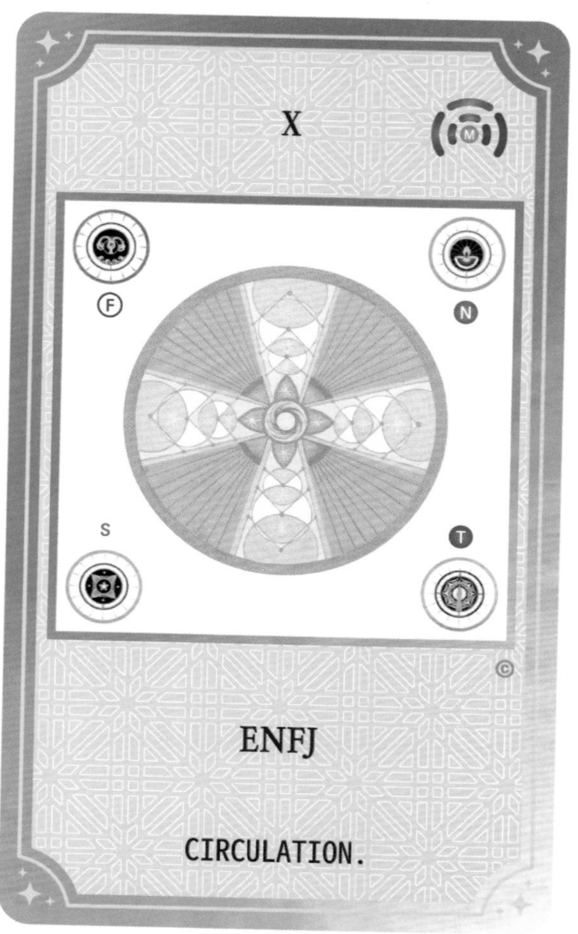

MBTI TAROT CARD

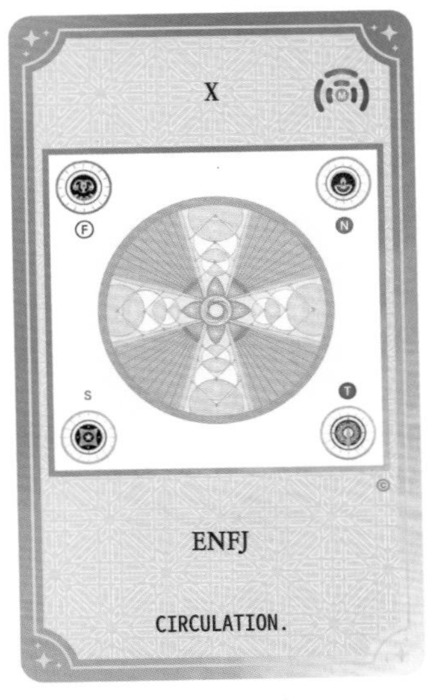

넘버		X
		불의 성향 : 2 물의 성향 : 2 공기의 성향 : 2 흙의 성향 : 0
기능	주	Fe
	부	Ni
	3차	S
	열등	Ti

유니버셜웨이트	마르세이유

MBTI 타로카드 전문분해

제목	**ENFJ**
주제어	CIRCULATION.
의미	운명적인 순환, 터닝 포인트
MBTI 분석	E**J 결정 지향적인 외향형 - 신속하며, 확신에 차 있다. 눈에 띄는 솔선 수범형 지도자. *NF* 열정적, 통찰적인 유형 - 신념이 강하고, 의사소통에 뛰어나다. **FJ 호의적인 관리자 - 사람 관리에 뛰어나지만, 냉정하지 못하다. EN** 행동 지향적인 창안자 - 단순 반복 작업은 질색하며, 새로운 패턴을 구상한다. E*F* 행동 지향적 협력가 - 감정에 이끌려 행동으로 실행한다. *N*J 비전을 가진 의사결정자 - 일관성 있게 추진력을 발휘하며 복잡한 것에 도전한다.
실전 상담 적용	1. 단순 반복 작업은 질색하며, 운명적인 새로운 순환을 이끈다. 2. 복잡한 것에 도전하며, 뜻하지 않은 행운을 얻는다. 터닝포인트 3. 일관성 있게 추진력을 발휘하며, 긍정적 변화를 이끈다. 4. 주위 상황에 영향을 받으며, 행동으로 실행하며, 결실을 얻는다.

11 ESTJ - JUSTICE.

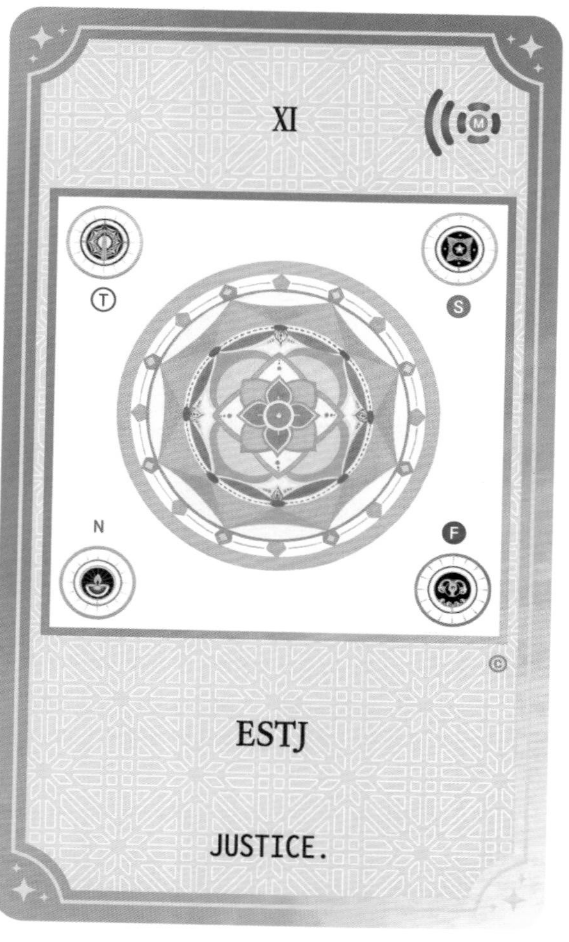

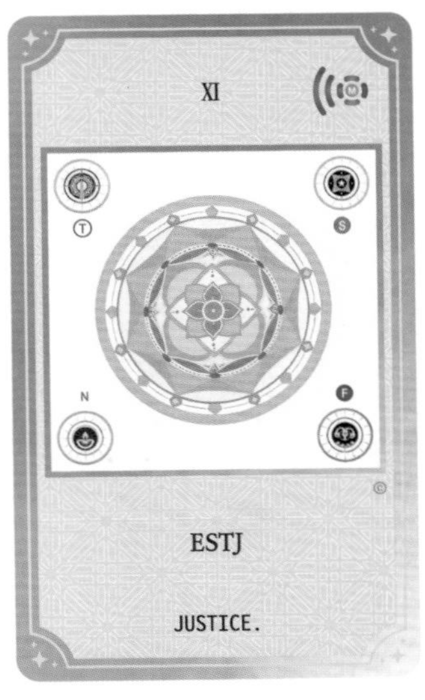

넘버		XI
((◉))		불의 성향 : 1 물의 성향 : 1 공기의 성향 : 3 흙의 성향 : 1
기능	주	Te
	부	Si
	3차	N
	열등	Fi

유니버셜웨이트	마르세이유

MBTI 타로카드 전문분해

제목	**ESTJ**
주제어	JUSTICE.
의미	합리적 판단, 공정함
MBTI 분석	E**J 결정 지향적인 외향형 - 신속하며, 확신에 차 있다. 눈에 띄는 솔선수범형 지도자. *ST* 실제적이고 사실 중심적 유형 - 창작적이고 구름 잡는 이야기를 싫어한다. 실질적이고 사무적이며, 심리적으로 강인하다. **TJ 논리적인 의사결정자 - 강인함을 바탕으로 논리적인 의사결정을 한다. ES** 행동 지향적 현실주의자 - 능동적이며, 현실, 실용 위주로 선택한다. E*T* 행동 지향적인 사고가 - 속전속결의 실천력, 행동력이 뛰어나다. *S*J 현실적 의사결정자 - 질서정연한 것을 추구하며, 보수적인 경향이 강하다. 조직적이며 신뢰할 만한 성품이다.
실전 상담 적용	1. 강인함을 바탕으로 논리적인 의사결정, 합리적 판단을 한다. 2. 질서정연한 것을 추구하며 균형, 공평함을 중시한다. 3. 정의감을 기본 토대로 행동하며, 솔선수범을 행한다. 4. 냉정함을 바탕으로 객관적이고 정확함을 추구한다.

⑫ INTP - STAGNATION.

MBTI TAROT CARD

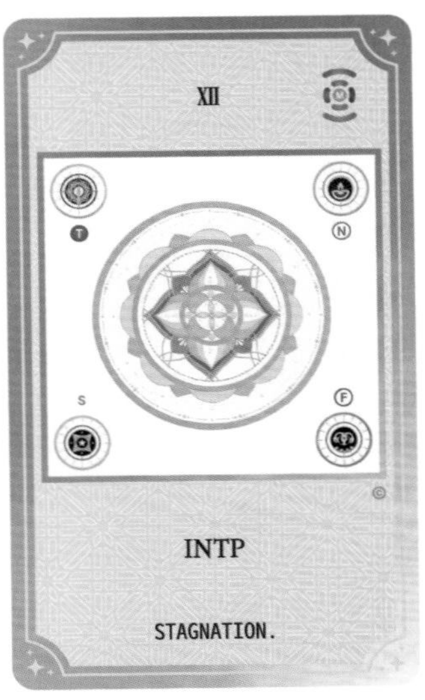

넘버		XII
		불의 성향 : 2 물의 성향 : 1 공기의 성향 : 1 흙의 성향 : 2
기능	주	Ti
	부	Ne
	3차	S
	열등	Fe

유니버셜웨이트	마르세이유

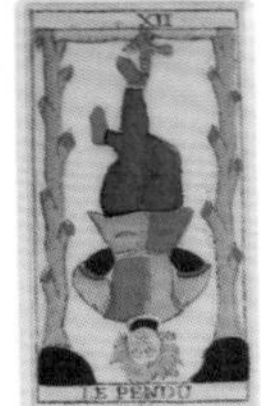

MBTI 타로카드 전문분해	
제목	**INTP**
주제어	STAGNATION.
의미	새로운 사고의 필요성, 반전
MBTI 분석	I**P 적응력 있는 내향형 - 유순하게 보이며, 고집하지 않는다. 설득력에 가치를 두지 않으며, 적응력이 중요하다. *NT* 논리적, 창의적인 유형 - 이론적 지식, 아이디어가 많다. **TP 적응력 있는 사고자 - 객관적이고 적응력 있는 사고로 호기심이 많다. IN** 사려 깊은 창안자 - 아이디어와 사고의 범주가 차원이 다를 만큼 넓고도 깊다. 하지만, 사회 적응력이 약하게 보일 수 있다. I*T* 반추 지향적 추론가 - 좋고 싫은 것 등 자기표현이 없다. 끊고 맺는 것이 분명하고, 아무 말 하지 않으면 은근히 긴장감을 조성한다. *N*P 적응력 있는 창안자 - 변화와 개선을 중시하며, 가능성 있는 변화를 시도한다.
실전 상담 적용	1. 사회 적응력이 약하며, 신속함보다는 상황적 정체를 보인다. 2. 사고의 범주가 차원이 다를 만큼 넓고도 깊어 새로운 반전을 이끈다. 3. 자신을 고집하지 않으며, 주변을 위해 희생, 봉사한다. 4. 지금은 때가 아니지만,변화와 개선을 중시하며 새로운 사고의 필요성이 필요하다.

⑬ ENTJ - DEATH.

MBTI TAROT CARD

MBTI TAROT CARD

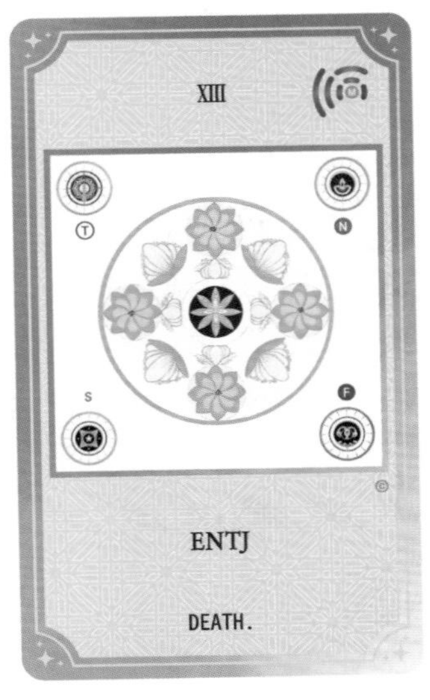

넘버		XIII
		불의 성향 : 2 물의 성향 : 1 공기의 성향 : 3 흙의 성향 : 0
기능	주	Te
	부	Ni
	3차	S
	열등	Fi

유니버셜웨이트	마르세이유

MBTI 타로카드 전문분해	
제목	**ENTJ**
주제어	DEATH.
의미	과정의 마무리, 새로운 변화
MBTI 분석	E**J 결정 지향적인 외향형 - 신속하며, 확신에 차 있다. 눈에 띄는 솔선 수범형 지도자. *NT* 논리적, 창의적인 유형 - 이론적 지식, 아이디어가 많다. **TJ 논리적인 의사결정자 - 강인함을 바탕으로 논리적인 의사결정을 한다. EN** 행동 지향적인 창안자 - 단순 반복 작업은 질색하며, 새로운 패턴을 구상한다. E*T* 행동 지향적인 사고가 - 속전속결의 실천력, 행동력이 뛰어나다. *N*J 비전을 가진 의사결정자 - 일관성 있게 추진력을 발휘하며 복잡한 것에 도전한다.
실전 상담 적용	1. 논리적인 의사결정을 통한 과정의 마무리 2. 새로운 패턴을 통한 새로운 변화 3. 속전속결의 행동력을 발휘하는 마무리와 새로운 시작 4. 일관성 있는 추진력을 발휘하는 삶의 변화

14 ISFP - MODERATION.

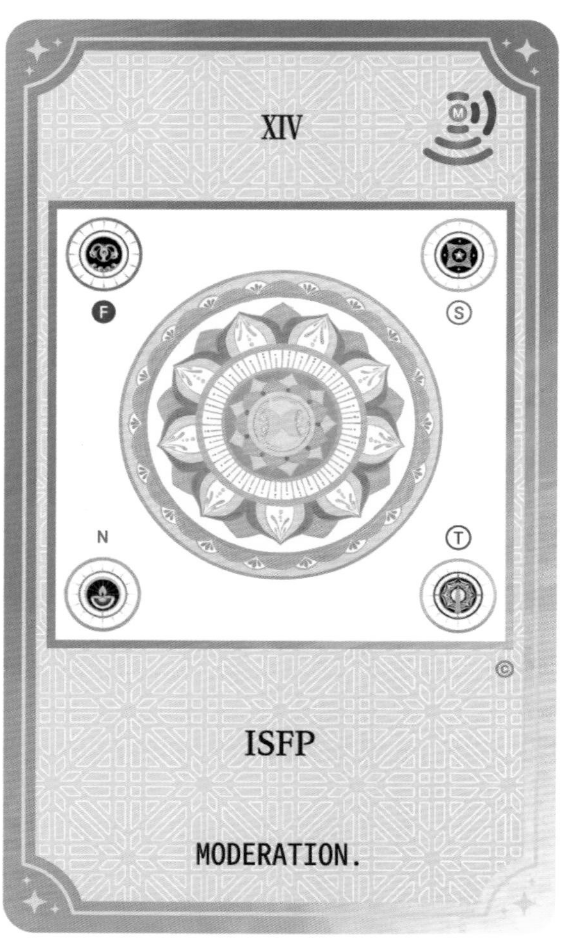

MBTI TAROT CARD

넘버		XIV
		불의 성향 : 1 물의 성향 : 2 공기의 성향 : 0 흙의 성향 : 3
기능	주	Fi
	부	Se
	3차	N
	열등	Te

유니버설웨이트	마르세이유

MBTI 타로카드 전문분해	
제목	**ISFP**
주제어	MODERATION.
의미	조화와 균형, 절충
MBTI 분석	I**P 적응력 있는 내향형 - 유순하게 보이며, 고집하지 않는다. 설득력에 가치를 두지 않으며, 적응력이 중요하다. *SF* 동정적, 우호적인 유형 - 인간 중심적이라 감정에 민감하다. **FP 온화한 유형 - 마음이 따뜻하고 감정에 민감하며, 정에 약하다. IS** 사려 깊은 현실주의자 - 구체적이고 치밀하다. 적용을 잘하며 상황의 세부적 포착에 능숙하다. I*F* 반추 지향적인 조화가 - 반추, 경청하며 상대의 말을 들어주는 입장 *S*P 적응력 있는 현실주의자 - 새로운 경험을 중시하며, 순발력, 순응력이 뛰어나다.
실전 상담 적용	1. 적용을 잘하며 상황의 세부적 포착에 능숙하여 적절한 조절을 이룬다. 2. 자신을 고집하지 않고, 조화와 균형을 이끈다. 3. 적응력이 뛰어나며, 절충, 통합을 이끈다. 4. 반추, 경청하며 상대의 말을 들어주며, 원활한 교류를 이끈다.

⑮ ESFP - OBSESSION.

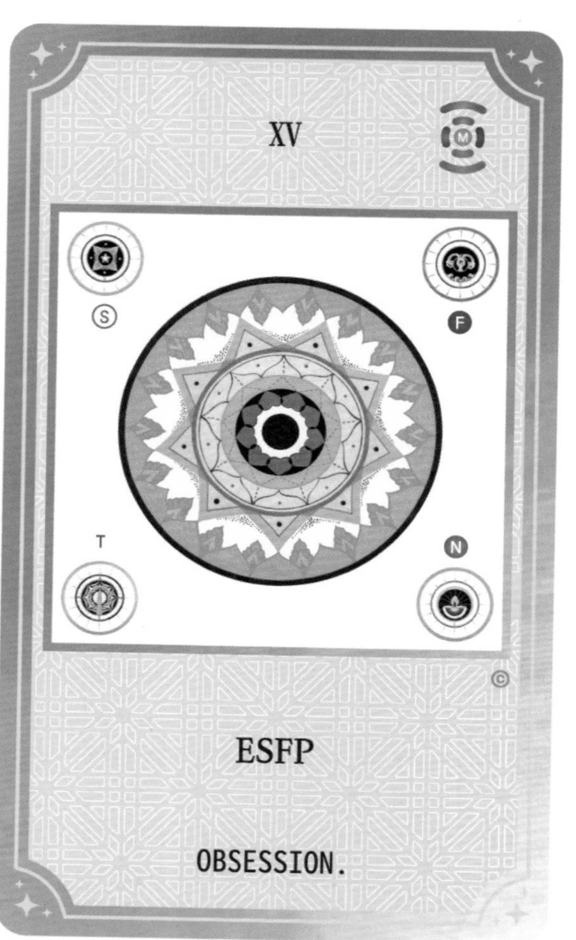

MBTI TAROT CARD

MBTI TAROT CARD

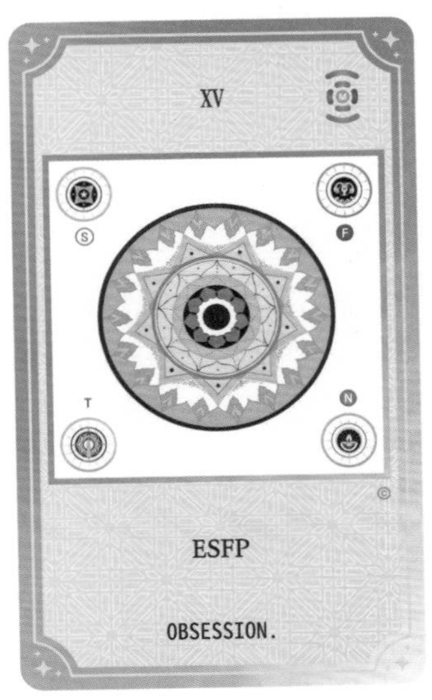

넘버	XV
(M)	불의 성향 : 2 물의 성향 : 1 공기의 성향 : 1 흙의 성향 : 2

기능		
	주	Se
	부	Fi
	3차	T
	열등	Ni

유니버설웨이트	마르세이유

MBTI 타로카드 전문분해

제목	**ESFP**
주제어	OBSESSION.
의미	한쪽에 치우침, 집착
MBTI 분석	E**P 적응력 있는 외향형 - 틀에 얽매이기 싫어하며, 자유분방하다. *SF* 동정적, 우호적인 유형 - 인간 중심적이라 감정에 민감하다. **FP 온화한 유형 - 마음이 따뜻하고 감정에 민감하며, 정에 약하다. ES** 행동 지향적 현실주의자 - 능동적이며, 현실, 실용 위주로 선택한다. E*F* 행동 지향적 협력가 - 감정에 이끌려 행동으로 실행한다. *S*P 적응력 있는 현실주의자 - 새로운 경험을 중시하며, 순발력, 순응력이 뛰어나다.
실전 상담 적용	1. 감정에 이끌려 한쪽에 치우치는 행동을 한다. 2. 틀에 얽매이기 싫어하며, 강한 집착을 보인다. 3. 자유분방하여 감정적인 부정적인 사고와 연계된다. 4. 민감하며, 정에 약하여 부적절한 관계에 빠질 수 있다.

⑯ F - CHANGE.

MBTI TAROT CARD

MBTI TAROT CARD

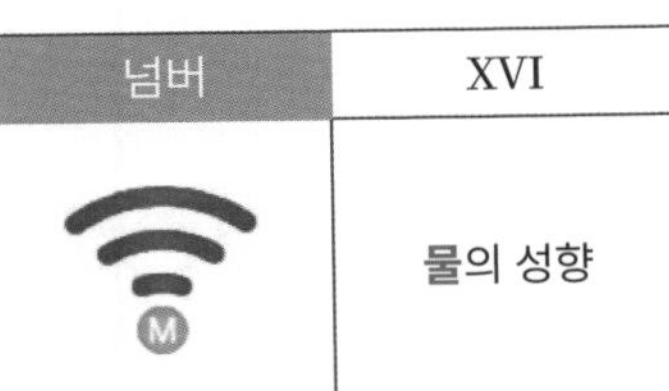

넘버	XVI
	물의 성향

유니버셜웨이트	마르세이유

MBTI 타로카드 전문분해	
제목	**F**
주제어	CHANGE.
의미	변화, 감정적 기복
실전 상담 적용	1. 환경과 주변의 조화를 고려한다. 2. 주관적 가치를 중요시하고 감정에 크게 영향을 받는다. 3. 감정의 기복이 크며, 감정을 이해해 줄 사람이 필요하다. 4. 객관적인 기준보다 주관적인 판단을 중요시한다.

17 N - HOPE.

MBTI TAROT CARD

MBTI TAROT CARD

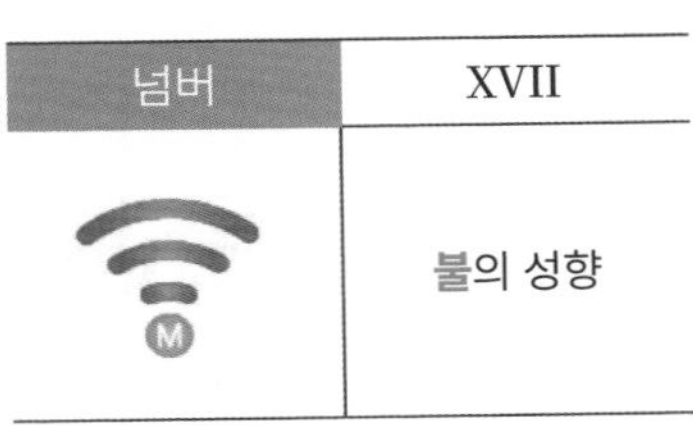

MBTI 타로카드 전문분해	
제목	**N**
주제어	HOPE.
의미	가능성, 희망, 새로운 변화
실전 상담 적용	1. 통찰과 가능성에 초점을 둔다. 2. 새로운 변화를 시도하려고 한다. 3. 추상적인 개념을 이해하고 논리적으로 추론한다. 4. 전체적인 상황을 정확하게 파악한다.

18 I - WORRY.

MBTI TAROT CARD

MBTI TAROT CARD

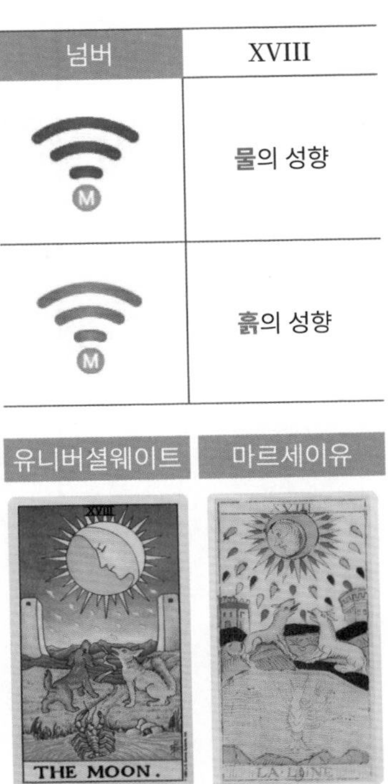

MBTI 타로카드 전문분해	
제목	I
주제어	WORRY.
의미	내면, 걱정, 갈등
실전 상담 적용	1. 내면 세계와의 상호작용을 통해 에너지를 얻는다. 2. 외부적인 요인에 의해 내부로 밀려 들어온다. 3. 혼자만의 시간을 통해 에너지를 충전한다. 4. 매우 신중하고, 밖으로의 표현이 어렵다.

⑲ E - HAPPINESS.

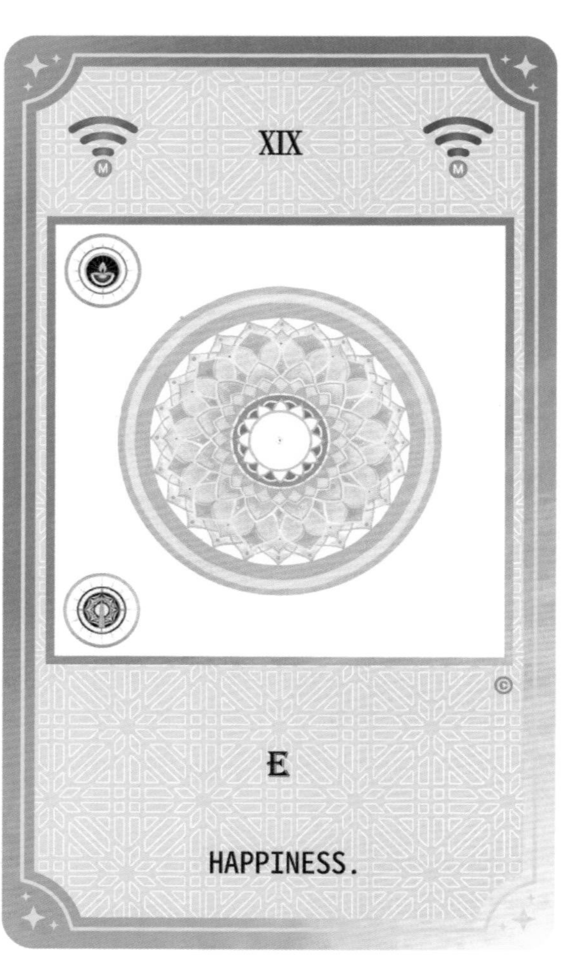

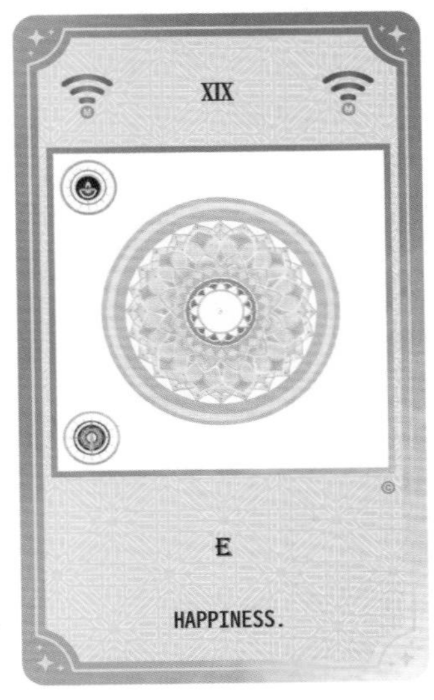

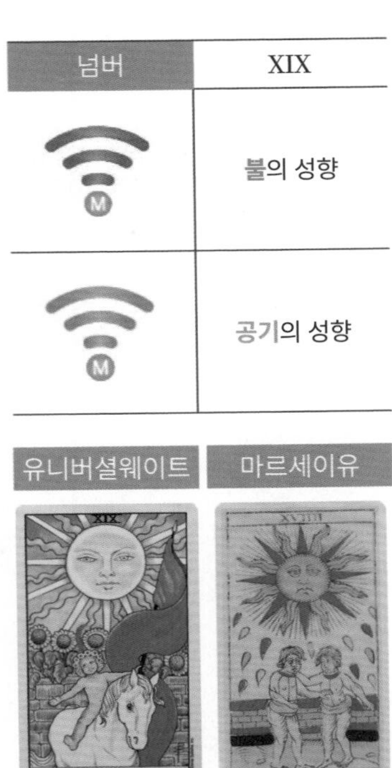

MBTI 타로카드 전문분해	
제목	**E**
주제어	HAPPINESS.
의미	행복, 생동감, 에너지
실전 상담 적용	1. 외부와의 상호작용을 통해 에너지를 얻는다. 2. 생동감이 넘치고, 활동적이다. 3. 다수와의 다양한 관계를 선호한다. 4. 폭넓은 대인관계를 가지며 사교성이 훌륭하다.

⑳ T - JUDGEMENT.

MBTI TAROT CARD

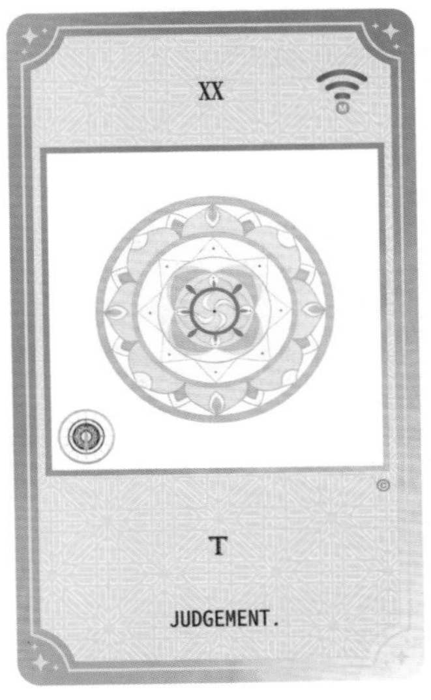

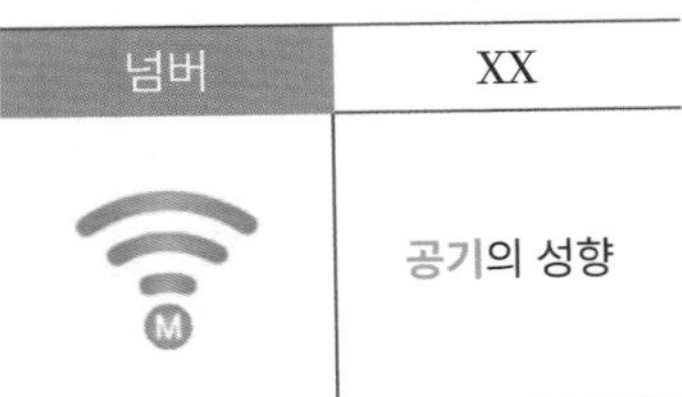

MBTI 타로카드 전문분해	
제목	**T**
주제어	JUDGEMENT.
의미	판단, 객관적 판단
실전 상담 적용	1. 논리적 분석을 통한 정의와 공평을 중시한다. 2. 객관적인 판단, 규범과 기준을 중시한다. 3. 독립 성향이 강하고, 정신적인 강인함을 보인다. 4. 분명한 목적의식, 방향을 갖고 있으며 빠른 결정을 진행한다.

21 S - COMPLETION.

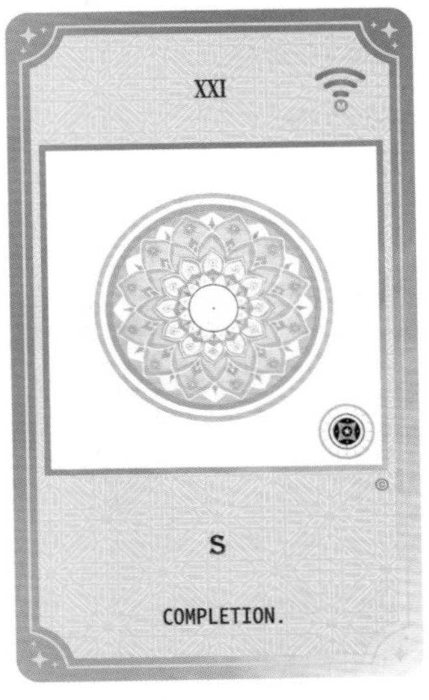

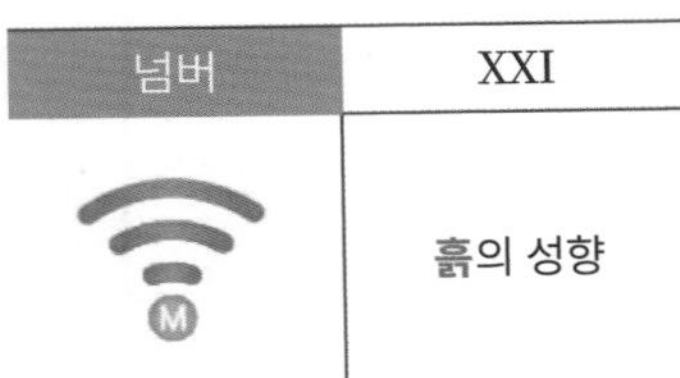

MBTI 타로카드 전문분해	
제목	S
주제어	COMPLETION.
의미	완성, 성취, 현실적
실전 상담 적용	1. 실용성을 추구하고, 현실적이다. 2. 오감을 통해 직접 경험한 정보를 더욱 잘 받아들인다. 3. 실제적 정보 선호, 눈에 보이는 규칙이나 과정을 매우 정확하게 다룬다. 4. 성공을 위해 한 단계씩 실행한다.

2. MBTI 마이너 숫자(PIP)카드

1. 완드 - ENFA - ENERGY.

넘버	1(A)
	불의 성향 : 2 물의 성향 : 1 공기의 성향 : 1 흙의 성향 : 0

유니버셜웨이트	마르세이유

MBTI 타로카드 전문분해	
제목	**ENFA**
주제어	ENERGY.
의미	에너지, 창조력, 새로운 시작, 성공, 기회, 자신감, 주도적
적용 원리 기초 안내	1. 불(NF) + E + A(숫자 1) = **ENFA** 2. EN__: 행동 지향적인 창안자, _NF_: 열정적, 통찰적인 유형, E_F_: 행동 지향적 협력가 3. E: 에너지 방향(주의 초점) 외부, 중요한 결정이나 행동이 주체에 의하지 않고 객관적인 상황에 의해 좌우 4. 숫자 1: 나, 순수함, 새로운 시작, 의욕적, 근원적인, 독자적인, 강인함, 에너지, 목표 지향적, 독선, 독립, 리더십, 자신감, 개성, 확신, 책임감, 용기, 주관
인물	순수하고 창조적인 에너지를 바탕으로 새로운 시작을 행동으로 계획하는 사람

ENFII - EXPANSION.

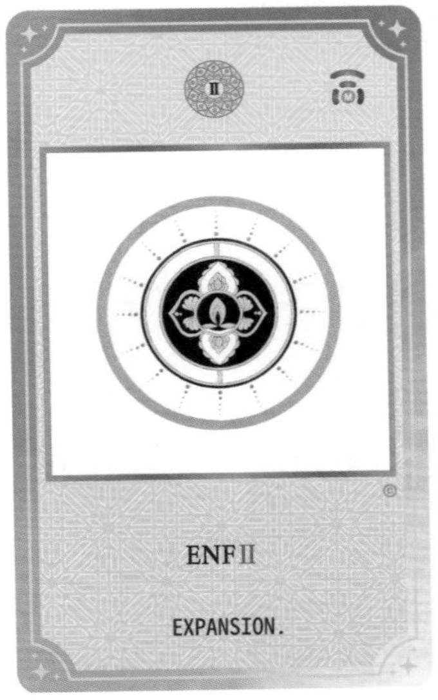

넘버	2
(M)	불의 성향 : 2 물의 성향 : 1 공기의 성향 : 1 흙의 성향 : 0

유니버셜웨이트	마르세이유

MBTI 타로카드 전문분해	
제목	**ENFⅡ**
주제어	EXPANSION.
의미	계획(갈등), (작은) 확장, (작은) 도전, 선택, 새로운 계획, 기다림, 용기
적용 원리 기초 안내	1. 불(NF) + E + 숫자 2 = **ENFⅡ** 2. EN__: 행동 지향적인 창안자, _NF_: 열정적, 통찰적인 유형, E_F_: 행동 지향적 협력가 3. E: 에너지 방향(주의 초점) 외부, 중요한 결정이나 행동이 주체에 의하지 않고 객관적인 상황에 의해 좌우 4. 숫자 2: 여성을 의미하는 수, 관계, 협동, 수용, 중립, 이중성, 화합, 균형, 조화, 의존, 민감, 수동, 평화, 봉사, 소유, 시기, 질투, 우유부단, 갈등, 대립, 신중, 소극적, 선택
인물	더 넓은 영역으로 확장을 위해 도약하는 사람

ENFIII - CHALLENGE.

넘버	3
	불의 성향 : 2 물의 성향 : 1 공기의 성향 : 1 흙의 성향 : 0

유니버셜웨이트	마르세이유

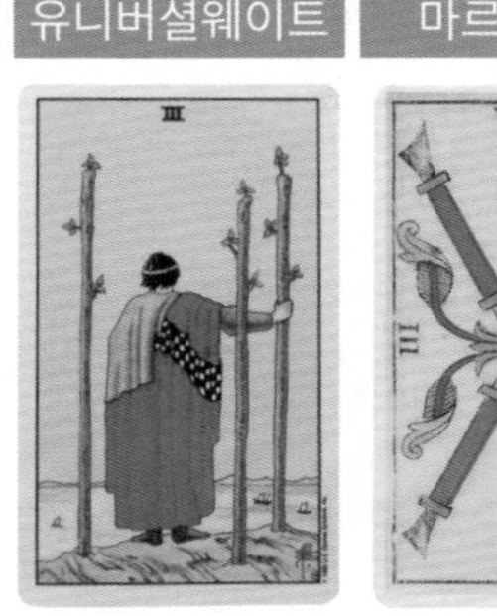

MBTI 타로카드 전문분해	
제목	**ENFⅢ**
주제어	CHALLENGE.
의미	목표 달성, 성공, (큰)확장, (큰)도전, 새로운 (큰)계획, 강력한 통찰력
적용 원리 기초 안내	1. 불(NF) + E + 숫자 3 = **ENFⅢ** 2. EN__: 행동 지향적인 창안자, _NF_: 열정적, 통찰적인 유형, E_F_: 행동 지향적 협력가 3. E: 에너지 방향(주의 초점) 외부, 중요한 결정이나 행동이 주체에 의하지 않고 객관적인 상황에 의해 좌우 4. 숫자 3: 남성을 의미하는 수, 종합, 확장, 창조, 활력, 소유, 충동, 창의성, 성장, 생동, 성공, 독창적, 협력, 행동, 사교성, 낙천주의
인물	강력한 통찰력으로 더 큰 영역으로의 확장을 위해 강한 열정과 통찰을 발휘하는 사람

ENFIV - STABILITY.

넘버	4
(M)	불의 성향 : 2 물의 성향 : 1 공기의 성향 : 1 흙의 성향 : 0

유니버셜웨이트	마르세이유
	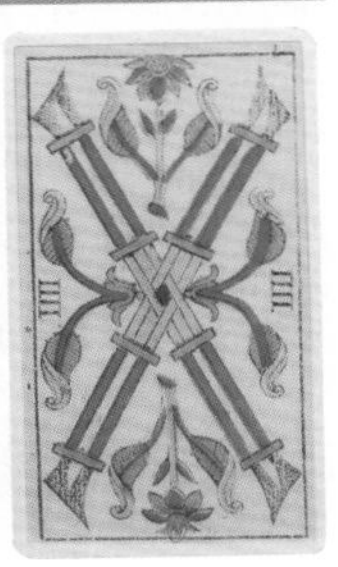

MBTI 타로카드 전문분해	
제목	**ENFIV**
주제어	STABILITY.
의미	축하, 결혼, 풍요, 결실, 성공, 승리, 평화, 안정
적용 원리 기초 안내	1. 불(NF) + E + 숫자 4 = **ENFIV** 2. EN__: 행동 지향적인 창안자, _NF_: 열정적, 통찰적인 유형, E_F_: 행동 지향적 협력가 3. E: 에너지 방향(주의 초점) 외부, 중요한 결정이나 행동이 주체에 의하지 않고 객관적인 상황에 의해 좌우 4. 숫자 4: 안정, 정지, 질서, 기초, 전통, 신중, 계획성, 현실적, 구조, 권위, 물질, 계약, 현상, 보수적, 실용적, 실천, 가치, 신뢰, 완고
인물	성공과 평화를 위해 열정과 통찰을 발휘하며 평화로운 보금자리를 추구하는 사람

ENFV - COMPETITION.

넘버	5
	불의 성향 : 2 물의 성향 : 1 공기의 성향 : 1 흙의 성향 : 0

MBTI 타로카드 전문분해	
제목	**ENF** V
주제어	COMPETITION.
의미	논쟁, 갈등, 분열, 투쟁, 욕망, 서로 얽힌, 열띤 토론
적용 원리 기초 안내	1. 불(NF) + E + 숫자 5 = **ENF** V 2. EN__: 행동 지향적인 창안자, _NF_: 열정적, 통찰적인 유형, E_F_: 행동 지향적 협력가 3. E: 에너지 방향(주의 초점) 외부, 중요한 결정이나 행동이 주체에 의하지 않고 객관적인 상황에 의해 좌우 4. 숫자 5: 변화, 산만, 발전, 불안정성, 불확실성, 진보(적), 다양성, 모험적인, 혼란함, 독선, 무책임함, 자유로움, 충동적, 이해, 갈등, 복합
인물	더 큰 이상적인 성공을 위해 논쟁을 벌이는 열정적인 투쟁을 하는 사람

ENFVI - WORK TOGETHER.

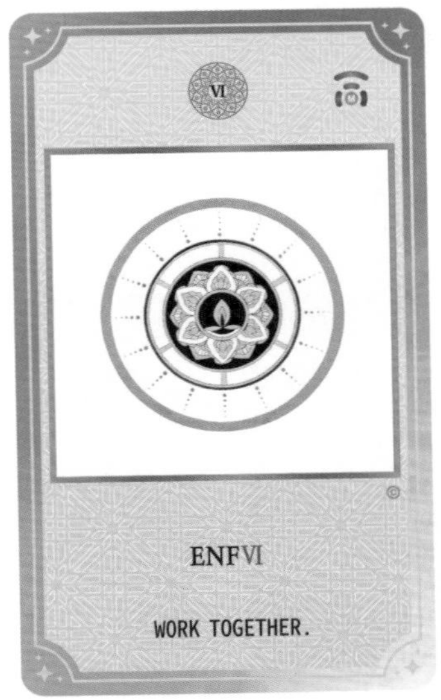

넘버	6
	불의 성향 : 2 물의 성향 : 1 공기의 성향 : 1 흙의 성향 : 0

유니버셜웨이트	마르세이유

MBTI 타로카드 전문분해	
제목	**ENF**VI
주제어	WORK TOGETHER.
의미	합심으로 이루어 낸 성공, 승리, 합격, 리더십, 추종, 명예, 의견 통합
적용 원리 기초 안내	1. 불(NF) + E + 숫자 6 = **ENF**VI 2. EN__: 행동 지향적인 창안자, _NF_: 열정적, 통찰적인 유형, E_F_: 행동 지향적 협력가 3. E: 에너지 방향(주의 초점) 외부, 중요한 결정이나 행동이 주체에 의하지 않고 객관적인 상황에 의해 좌우 4. 숫자 6: 이상주의, 완성, 안정적인, 조화로움, 협력, 창조, 균형감, 완벽함, 평형, 보상, 보호, 책임, 공감, 치유
인물	공동의 목표 달성을 위해 여러 사람과 함께 강한 열정과 행동력을 발휘하는 리더십을 소유한 사람

ENFVII - RESISTANCE.

넘버	7
(M)	불의 성향 : 2 물의 성향 : 1 공기의 성향 : 1 흙의 성향 : 0

유니버셜웨이트	마르세이유

MBTI 타로카드 전문분해	
제목	**ENF**Ⅶ
주제어	RESISTANCE.
의미	방어, 용기, 극복, 힘겨운 성공, 자신감, 저항, 끈기, 열정
적용 원리 기초 안내	1. 불(NF) + E + 숫자 7 = **ENF**Ⅶ 2. EN__: 행동 지향적인 창안자, _NF_: 열정적, 통찰적인 유형, E_F_: 행동 지향적 협력가 3. E: 에너지 방향(주의 초점) 외부, 중요한 결정이나 행동이 주체에 의하지 않고 객관적인 상황에 의해 좌우 4. 숫자 7: 준비, 자기 보호, 자아 성찰, 고독, 명확성, 상상, 완벽주의, 분석, 은둔, 현명한, 불안정, 철학, 내면의 이해, 각성, 큰 변화
인물	굴복하지 않고 열정과 통찰을 발휘하는 용기 있는 행동으로 의지를 발휘하는 사람

ENFVIII - FAST MOVING.

넘버	8
	불의 성향 : 2 물의 성향 : 1 공기의 성향 : 1 흙의 성향 : 0

유니버셜웨이트	마르세이유

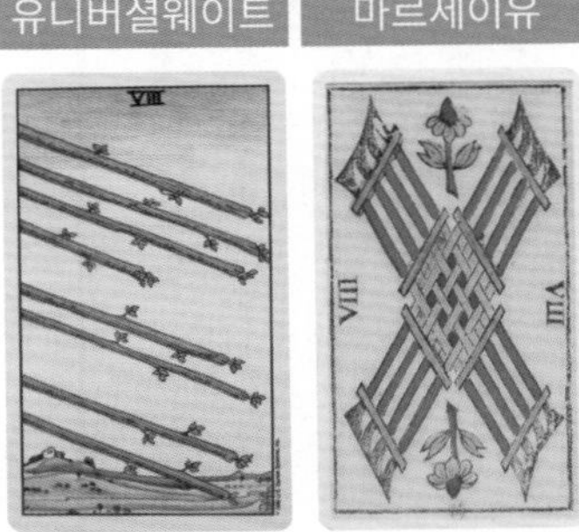

MBTI 타로카드 전문분해	
제목	**ENFⅧ**
주제어	FAST MOVING.
의미	이동, 빠른 진행(행동), 좋은 결과, 합격, 성공, 곧 결과에 이름
적용 원리 기초 안내	1. 불(NF) + E + 숫자 8 = **ENFⅧ** 2. EN__: 행동 지향적인 창안자, _NF_: 열정적, 통찰적인 유형, E_F_: 행동 지향적 협력가 3. E: 에너지 방향(주의 초점) 외부, 중요한 결정이나 행동이 주체에 의하지 않고 객관적인 상황에 의해 좌우 4. 숫자 8: 구조 조정, 전진, 자유로운 이동, 진행, 조직화, 체계화, 야망, 자기 파괴적인, 권한, 권력, 자립, 실용성
인물	신속한 행동으로 문제해결력이 뛰어난 사람

ENFIX - DIFFICULTY.

넘버	9
	불의 성향 : 2 물의 성향 : 1 공기의 성향 : 1 흙의 성향 : 0

유니버셜웨이트	마르세이유

MBTI 타로카드 전문분해	
제목	**ENFIX**
주제어	DIFFICULTY.
의미	방어, 용기, 두려움, 고난, 힘겨움, 재계획, 집중의 필요성
적용 원리 기초 안내	1. 불(NF) + E + 숫자 9 = **ENFIX** 2. EN__: 행동 지향적인 창안자, _NF_: 열정적, 통찰적인 유형, E_F_: 행동 지향적 협력가 3. E: 에너지 방향(주의 초점) 외부, 중요한 결정이나 행동이 주체에 의하지 않고 객관적인 상황에 의해 좌우 4. 숫자 9: 완성, 종결, 완벽, 달성, 기대, 성공, 인간적인, 자기 이해, 완전함, 보편적, 일반적, 성취한 지혜
인물	어려운 상황에서 인내와 용기로 목표 달성을 위해 열정을 발휘하는 사람

ENFX - OVERLOAD.

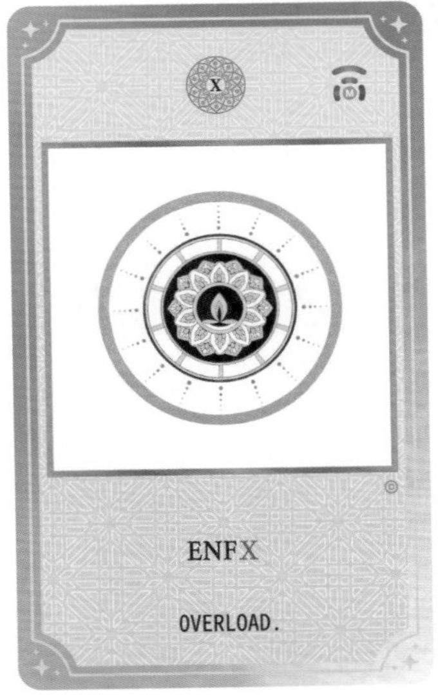

MBTI 타로카드 전문분해	
제목	**ENF** X
주제어	OVERLOAD.
의미	욕망, 과부하, 성공을 위한 노력, 책임감, 압박감, 역부족
적용 원리 기초 안내	1. 불(NF) + E + 숫자 10 = **ENF** X 2. EN__: 행동 지향적인 창안자, _NF_: 열정적, 통찰적인 유형, E_F_: 행동 지향적 협력가 3. E: 에너지 방향(주의 초점) 외부, 중요한 결정이나 행동이 주체에 의하지 않고 객관적인 상황에 의해 좌우 4. 숫자 10: 모든 과정을 거친 후의 최종 완성, 성숙함, 숙달, 추구된 완벽함, 초과, 기준을 넘음, 과한 욕심
인물	힘에 버거운 상황에서 모든 과업을 스스로 짊어지고 성취를 위해 안간힘을 쓰는 사람

2. 컵 - ISFA - EMOTION.

넘버	1(A)
	불의 성향 : 0 물의 성향 : 2 공기의 성향 : 0 흙의 성향 : 2

유니버설웨이트	마르세이유
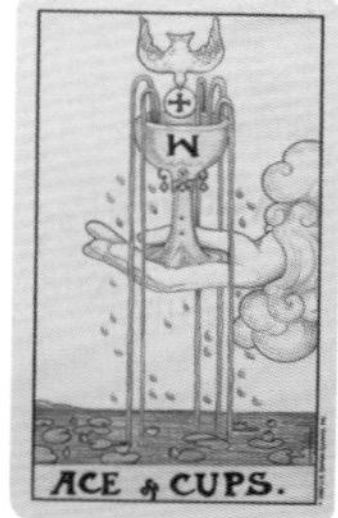	

MBTI 타로카드 전문분해	
제목	**ISFA**
주제어	EMOTION.
의미	새로운 시작, 깊은 만족, 감정 충만, 성공, 사랑이 싹트는, 감성 충만, 행복
적용 원리 기초 안내	1. 물(SF) + I + A(숫자 1) = **ISFA** 2. IS__: 사려 깊은 현실주의자, _SF_: 동정적, 우호적인 유형, I_F_: 반추 지향적인 조화가 3. I: 에너지 방향(주의 초점) 내부, 중요한 결정이나 행동은 자기 자신의 주관적 태도에 따라 판단하고 행동한다. 4. 숫자 1: 나, 순수함, 새로운 시작, 의욕적, 근원적인, 독자적인, 강인함, 에너지, 목표 지향적, 독선, 독립, 리더십, 자신감, 개성, 확신, 책임감, 용기, 주관
인물	새로운 감정의 시작으로 깊은 사려감을 발휘하는 감성적으로 충만한 사람

ISFII - RELATIONSHIP.

넘버	2
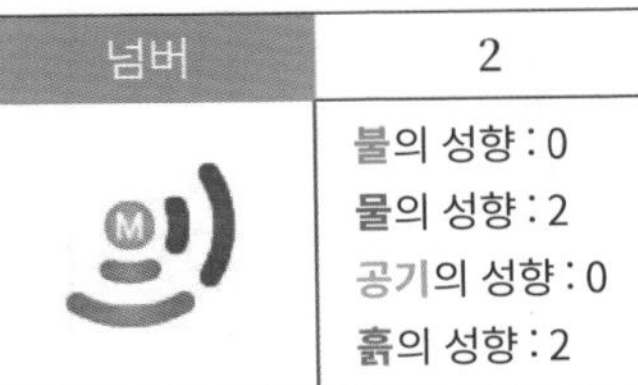	불의 성향 : 0 물의 성향 : 2 공기의 성향 : 0 흙의 성향 : 2

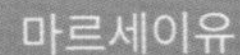

MBTI 타로카드 전문분해	
제목	**ISFⅡ**
주제어	RELATIONSHIP.
의미	감정의 교류, 의사소통, 교감, 사랑, 결합, 화해, 협상, 신뢰, 공감
적용 원리 기초 안내	1. 물(SF) + I + 숫자 2 = **ISFⅡ** 2. IS__: 사려 깊은 현실주의자, _SF_: 동정적, 우호적인 유형, I_F_: 반추 지향적인 조화가 3. I: 에너지 방향(주의 초점) 내부, 중요한 결정이나 행동은 자기 자신의 주관적 태도에 따라 판단하고 행동한다. 4. 숫자 2: 여성을 의미하는 수, 관계, 협동, 수용, 중립, 이중성, 화합, 균형, 조화, 의존, 민감, 수동, 평화, 봉사, 소유, 시기, 질투, 우유부단, 갈등, 대립, 신중, 소극적, 선택
인물	감정의 교류, 공감 능력을 발휘하는 탁월한 의사소통 능력을 발휘하는 사람

ISFIII - TOAST.

넘버	3
(M)	불의 성향 : 0 물의 성향 : 2 공기의 성향 : 0 흙의 성향 : 2

유니버셜웨이트	마르세이유
	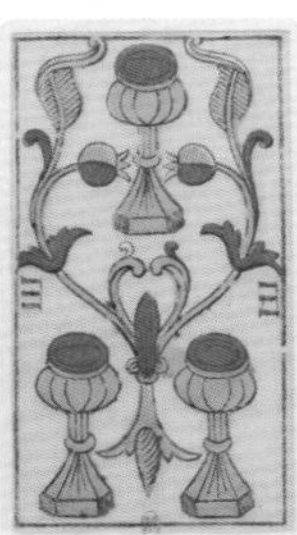

MBTI 타로카드 전문분해	
제목	**ISF**Ⅲ
주제어	TOAST.
의미	축배, 축하, 협상, 화합, 행복, 성공, 문제 해결, 목표 달성
적용 원리 기초 안내	1. 물(SF) + I + 숫자 3 = **ISF**Ⅲ 2. IS__: 사려 깊은 현실주의자, _SF_: 동정적, 우호적인 유형, I_F_: 반추 지향적인 조화가 3. I: 에너지 방향(주의 초점) 내부, 중요한 결정이나 행동은 자기 자신의 주관적 태도에 따라 판단하고 행동한다. 4. 숫자 3: 남성을 의미하는 수, 종합, 확장, 창조, 활력, 소유, 충동, 창의성, 성장, 생동, 성공, 독창적, 협력, 행동, 사교성, 낙천주의
인물	목표 달성을 위해 화합의 마음을 바탕으로 하는 감정 충만한 사람

ISFIV - GET BORED.

넘버	4
(M)	불의 성향 : 0 물의 성향 : 2 공기의 성향 : 0 흙의 성향 : 2

유니버셜웨이트	마르세이유
	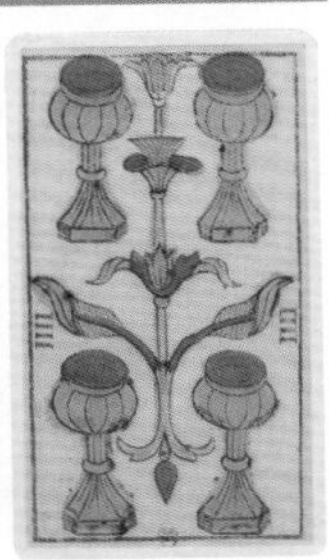

MBTI 타로카드 전문분해	
제목	**ISFIV**
주제어	GET BORED.
의미	권태기, 정체기, 몰입, 불만족, 무기력, 포기, 낙담, 상실감, 싫증
적용 원리 기초 안내	1. 물(SF) + I + 숫자 4 = **ISFIV** 2. IS__: 사려 깊은 현실주의자, _SF_: 동정적, 우호적인 유형, I_F_: 반추 지향적인 조화가 3. I: 에너지 방향(주의 초점) 내부, 중요한 결정이나 행동은 자기 자신의 주관적 태도에 따라 판단하고 행동한다. 4. 숫자 4: 안정, 정지, 질서, 기초, 전통, 신중, 계획성, 현실적, 구조, 권위, 물질, 계약, 현상, 보수적, 실용적, 실천, 가치, 신뢰, 완고
인물	내적 몰입을 바탕으로 깊은 사려감을 발휘하는 우호적이고 신중한 사람

ISFV - DISAPPOINTMENT.

넘버	5
(M)	불의 성향 : 0 물의 성향 : 2 공기의 성향 : 0 흙의 성향 : 2

유니버셜웨이트	마르세이유

MBTI 타로카드 전문분해	
제목	**ISF** V
주제어	DISAPPOINTMENT.
의미	집착, 실패, 부분적 손실, 상심, 후회, 외로움, 실망스러운, 불행한 관계, 미련이 남는
적용 원리 기초 안내	1. 물(SF) + I + 숫자 5 = **ISF** V 2. IS__: 사려 깊은 현실주의자, _SF_: 동정적, 우호적인 유형, I_F_: 반추 지향적인 조화가 3. I: 에너지 방향(주의 초점) 내부, 중요한 결정이나 행동은 자기 자신의 주관적 태도에 따라 판단하고 행동한다. 4. 숫자 5: 변화, 산만, 발전, 불안정성, 불확실성, 진보(적), 다양성, 모험적인, 혼란함, 독선, 무책임함, 자유로움, 충동적, 이해, 갈등, 복합
인물	만족하지 못하는 과거 경험을 바탕으로 깊은 성찰을 발휘하는 사람

ISFVI - INNOCENCE.

넘버	6
	불의 성향 : 0 물의 성향 : 2 공기의 성향 : 0 흙의 성향 : 2

유니버셜웨이트	마르세이유

MBTI 타로카드 전문분해	
제목	**ISF**VI
주제어	INNOCENCE.
의미	향수, 동심, 추억, 집착, 과거와 관련된, 순수한, 희망을 건네다, 프러포즈
적용 원리 기초 안내	1. 물(SF) + I + 숫자 6 = **ISF**VI 2. IS__: 사려 깊은 현실주의자, _SF_: 동정적, 우호적인 유형, I_F_: 반추 지향적인 조화가 3. I: 에너지 방향(주의 초점) 내부, 중요한 결정이나 행동은 자기 자신의 주관적 태도에 따라 판단하고 행동한다. 4. 숫자 6: 이상주의, 완성, 안정적인, 조화로움, 협력, 창조, 균형감, 완벽함, 평형, 보상, 보호, 책임, 공감, 치유
인물	순수한 동심을 바탕으로 문제 해결을 위해 희망을 연결하는 사람

ISFVII - DAYDREAM.

넘버	7
	불의 성향 : 0 물의 성향 : 2 공기의 성향 : 0 흙의 성향 : 2

유니버셜웨이트	마르세이유

MBTI 타로카드 전문분해	
제목	**ISF**VII
주제어	DAYDREAM.
의미	뜬구름 잡는, 과대망상, 환영, 선택, 현실성 없는, 망설임, 어찌할 바를 모름
적용 원리 기초 안내	1. 물(SF) + I + 숫자 7 = **ISF**VII 2. IS__: 사려 깊은 현실주의자, _SF_: 동정적, 우호적인 유형, I_F_: 반추 지향적인 조화가 3. I: 에너지 방향(주의 초점) 내부, 중요한 결정이나 행동은 자기 자신의 주관적 태도에 따라 판단하고 행동한다. 4. 숫자 7: 준비, 자기 보호, 자아 성찰, 고독, 명확성, 상상, 완벽주의, 분석, 은둔, 현명한, 불안정, 철학, 내면의 이해, 각성, 큰 변화
인물	과대망상으로 허황한 꿈을 꾸는 비현실적인 사람

ISFVIII - TRANSITION.

넘버	8
	불의 성향 : 0 물의 성향 : 2 공기의 성향 : 0 흙의 성향 : 2

유니버셜웨이트	마르세이유

MBTI 타로카드 전문분해	
제목	**ISFⅧ**
주제어	TRANSITION.
의미	포기, 후퇴, 은둔, 새로운 출발, 전환, 스스로 물러남, 돌아섬
적용 원리 기초 안내	1. 물(SF) + I + 숫자 8 = **ISF**Ⅷ 2. IS__: 사려 깊은 현실주의자, _SF_: 동정적, 우호적인 유형, I_F_: 반추 지향적인 조화가 3. I: 에너지 방향(주의 초점) 내부, 중요한 결정이나 행동은 자기 자신의 주관적 태도에 따라 판단하고 행동한다. 4. 숫자 8: 구조 조정, 전진, 자유로운 이동, 진행, 조직화, 체계화, 야망, 자기 파괴적인, 권한, 권력, 자립, 실용성
인물	상황을 적당히 잘 파악하고 새로운 출발을 위해 돌아서는 사람

ISFIX - SATISFACTION.

넘버	9
(M)	불의 성향 : 0 물의 성향 : 2 공기의 성향 : 0 흙의 성향 : 2

유니버셜웨이트	마르세이유
	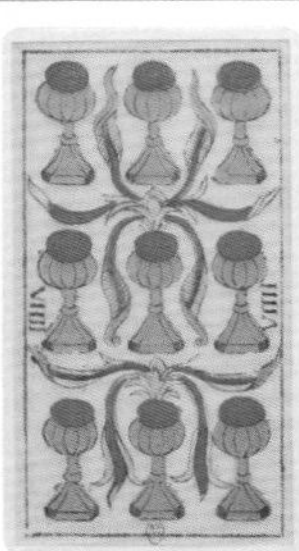

MBTI 타로카드 전문분해	
제목	**ISFIX**
주제어	SATISFACTION.
의미	만족감, 성공, 풍요, 건강, 목표 달성, 행복, 평화로움
적용 원리 기초 안내	1. 물(SF) + I + 숫자 9 = **ISFIX** 2. IS__ : 사려 깊은 현실주의자, _SF_ : 동정적, 우호적인 유형, I_F_ : 반추 지향적인 조화가 3. I: 에너지 방향(주의 초점) 내부, 중요한 결정이나 행동은 자기 자신의 주관적 태도에 따라 판단하고 행동한다. 4. 숫자 9: 완성, 종결, 완벽, 달성, 기대, 성공, 인간적인, 자기 이해, 완전함, 보편적, 일반적, 성취한 지혜
인물	목표 달성의 만족감을 느끼며, 마음의 충만함을 느끼는 사람

ISFX - HAPPY ENDING.

넘버	10
	불의 성향 : 0 물의 성향 : 2 공기의 성향 : 0 흙의 성향 : 2

유니버설웨이트	마르세이유

MBTI 타로카드 전문분해	
제목	**ISF** X
주제어	HAPPY ENDING.
의미	행복, 성공, 만족, 기쁨, 가정, 결혼, 안정적인, 해피엔딩
적용 원리 기초 안내	1. 물(SF) + I + 숫자 10 = **ISF** X 2. IS__: 사려 깊은 현실주의자, _SF_: 동정적, 우호적인 유형, I_F_: 반추 지향적인 조화가 3. I: 에너지 방향(주의 초점) 내부, 중요한 결정이나 행동은 자기 자신의 주관적 태도에 따라 판단하고 행동한다. 4. 숫자 10: 모든 과정을 거친 후의 최종 완성, 성숙함, 숙달, 추구된 완벽함, 초과, 기준을 넘음, 과한 욕심
인물	완전무결한 평화로움을 중시하며, 행복을 추구하는 사람

3. 소드 - ENTA - WILL.

넘버	1(A)
(M)	불의 성향 : 2 물의 성향 : 0 공기의 성향 : 2 흙의 성향 : 0

유니버셜웨이트	마르세이유
	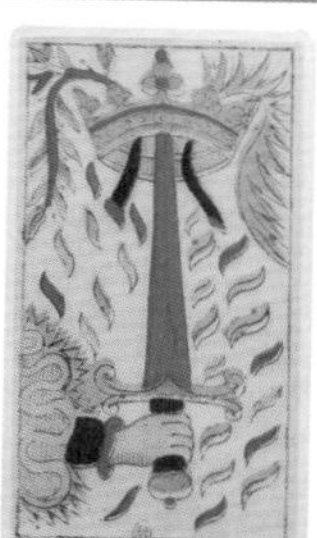

MBTI 타로카드 전문분해	
제목	**ENTA**
주제어	WILL.
의미	명예, 권력, 승리, 강한 정신력, 목적의식, 굳은 의지, 주도권
적용 원리 기초 안내	1. 공기(NT) + E + A(숫자 1) = **ENTA** 2. EN__: 행동 지향적인 창안자, _NT_: 논리적, 창의적인 유형, E_T_: 행동 지향적인 사고가 3. E: 에너지 방향(주의 초점) 외부, 중요한 결정이나 행동이 주체에 의하지 않고 객관적인 상황에 의해 좌우 4. 숫자 1: 나, 순수함, 새로운 시작, 의욕적, 근원적인, 독자적인, 강인함, 에너지, 목표 지향적, 독선, 독립, 리더십, 자신감, 개성, 확신, 책임감, 용기, 주관
인물	순수하고 명확한 정신력을 바탕으로 강한 의지와 창의력을 발휘하는 행동 지향적인 창안자

ENTII - CONFLICT.

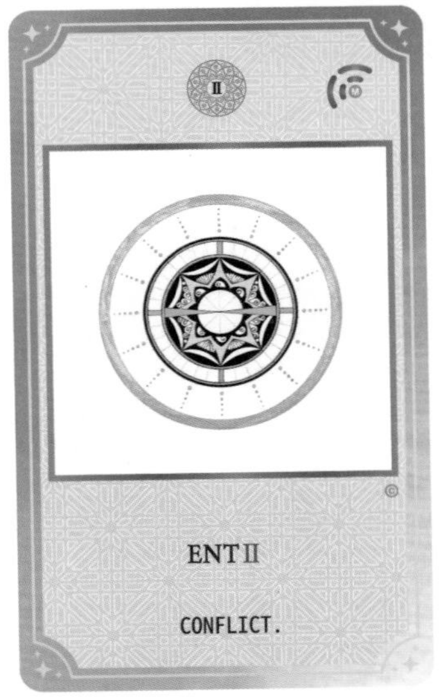

넘버	2
	불의 성향 : 2 물의 성향 : 0 공기의 성향 : 2 흙의 성향 : 0

유니버셜웨이트	마르세이유

MBTI 타로카드 전문분해	
제목	**ENT**Ⅱ
주제어	CONFLICT.
의미	갈등, (불완전한) 균형, 조화, 자기방어, 우유부단, 선입관
적용 원리 기초 안내	1. 공기(NT) + E + 숫자 1 = **ENT**Ⅱ 2. EN__: 행동 지향적인 창안자, _NT_: 논리적, 창의적인 유형, E_T_: 행동 지향적인 사고가 3. E: 에너지 방향(주의 초점) 외부, 중요한 결정이나 행동이 주체에 의하지 않고 객관적인 상황에 의해 좌우 4. 숫자 2: 여성을 의미하는 수, 관계, 협동, 수용, 중립, 이중성, 화합, 균형, 조화, 의존, 민감, 수동, 평화, 봉사, 소유, 시기, 질투, 우유부단, 갈등, 대립, 신중, 소극적, 선택
인물	불완전한 균형 등 갈등 상황을 해결하기 위해 어려운 용기를 발휘하는 사람

ENTIII - WOUND.

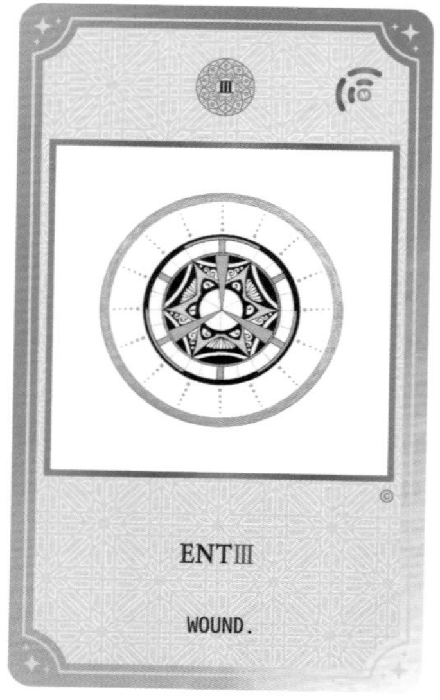

넘버	3
(M)	불의 성향 : 2 물의 성향 : 0 공기의 성향 : 2 흙의 성향 : 0

유니버셜웨이트	마르세이유
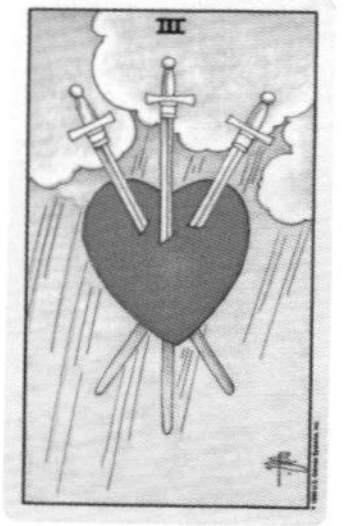	

MBTI 타로카드 전문분해	
제목	**ENT**Ⅲ
주제어	WOUND.
의미	상처, 이별, 슬픔, 파탄, 손실, 고통, 배신감
적용 원리 기초 안내	1. 공기(NT) + E + 숫자 3 = **ENT**Ⅲ 2. EN__: 행동 지향적인 창안자, _NT_: 논리적, 창의적인 유형, E_T_: 행동 지향적인 사고가 3. E: 에너지 방향(주의 초점) 외부, 중요한 결정이나 행동이 주체에 의하지 않고 객관적인 상황에 의해 좌우 4. 숫자 3: 남성을 의미하는 수, 종합, 확장, 창조, 활력, 소유, 충동, 창의성, 성장, 생동, 성공, 독창적, 협력, 행동, 사교성, 낙천주의
인물	상처에 대한 아픔을 감수해야 할 상황에 놓인 사람

ENTIV - REST.

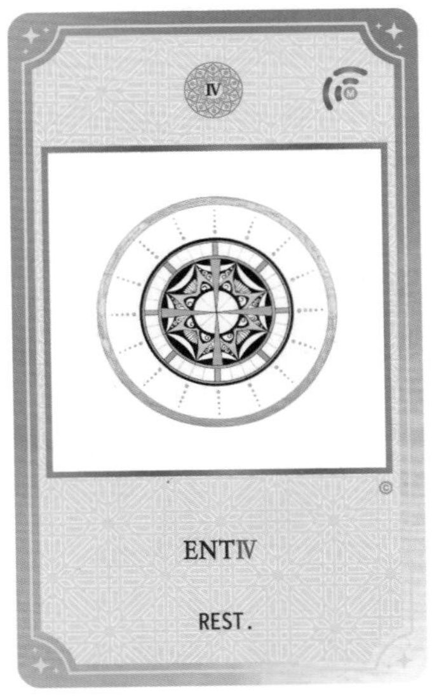

넘버	4
	불의 성향 : 2 물의 성향 : 0 공기의 성향 : 2 흙의 성향 : 0

유니버셜웨이트	마르세이유

MBTI 타로카드 전문분해	
제목	**ENTIV**
주제어	REST.
의미	휴식, 치유, 전진을 위한 일시적 후퇴, 회복, 여유와 안정, 은둔
적용 원리 기초 안내	1. 공기(NT) + E + 숫자 4 = **ENIV** 2. EN__: 행동 지향적인 창안자, _NT_: 논리적, 창의적인 유형, E_T_: 행동 지향적인 사고가 3. E: 에너지 방향(주의 초점) 외부, 중요한 결정이나 행동이 주체에 의하지 않고 객관적인 상황에 의해 좌우 4. 숫자 4: 안정, 정지, 질서, 기초, 전통, 신중, 계획성, 현실적, 구조, 권위, 물질, 계약, 현상, 보수적, 실용적, 실천, 가치, 신뢰, 완고
인물	명확한 정신력 회복을 위해 일시적 후퇴, 휴식을 취하는 사람

ENTV - DEFEAT.

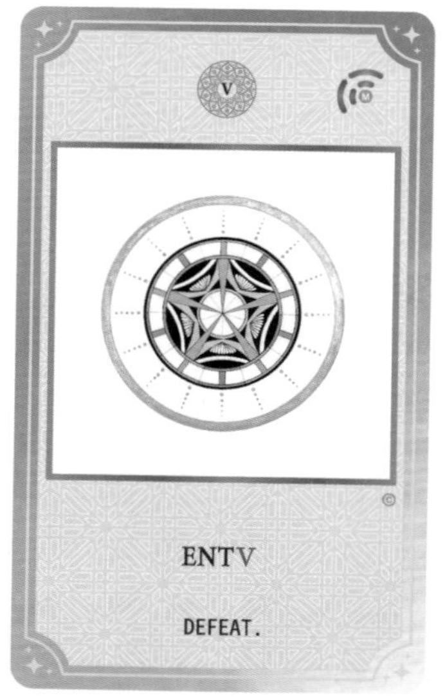

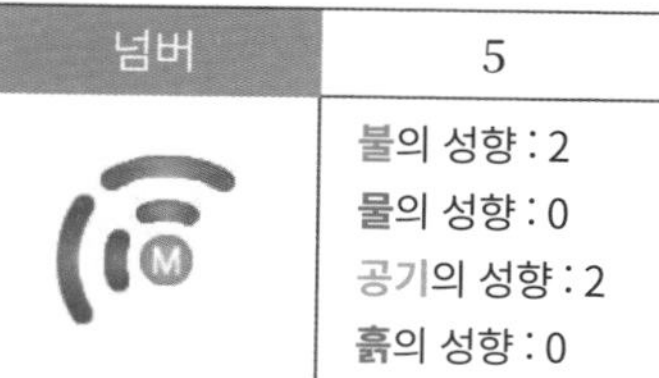

넘버	5
	불의 성향 : 2 물의 성향 : 0 공기의 성향 : 2 흙의 성향 : 0

유니버셜웨이트	마르세이유

MBTI 타로카드 전문분해	
제목	**ENT** V
주제어	DEFEAT.
의미	패배, 실패, 불명예, 거만, 경쟁, 배신, 이기심, 분열
적용 원리 기초 안내	1. 공기(NT) + E + 숫자 5 = **ENT** V 2. EN__: 행동 지향적인 창안자, _NT_: 논리적, 창의적인 유형, E_T_: 행동 지향적인 사고가 3. E: 에너지 방향(주의 초점) 외부, 중요한 결정이나 행동이 주체에 의하지 않고 객관적인 상황에 의해 좌우 4. 숫자 5: 변화, 산만, 발전, 불안정성, 불확실성, 진보(적), 다양성, 모험적인, 혼란함, 독선, 무책임함, 자유로움, 충동적, 이해, 갈등, 복합
인물	신념의 파기, 이기심, 배신 등으로 패배, 실패의 상황에 맞닥뜨린 사람

ENTVI - JOURNEY.

넘버	6
	불의 성향 : 2 물의 성향 : 0 공기의 성향 : 2 흙의 성향 : 0

유니버셜웨이트	마르세이유

MBTI 타로카드 전문분해	
제목	**ENTVI**
주제어	JOURNEY.
의미	이동, 이유 있는 여행, 해방, 극복해 나가는 긍정적인 변화, 변화의 시기
적용 원리 기초 안내	1. 공기(NT) + E + 숫자 6 = **ENTVI** 2. EN__: 행동 지향적인 창안자, _NT_: 논리적, 창의적인 유형, E_T_: 행동 지향적인 사고가 3. E: 에너지 방향(주의 초점) 외부, 중요한 결정이나 행동이 주체에 의하지 않고 객관적인 상황에 의해 좌우 4. 숫자 6: 이상주의, 완성, 안정적인, 조화로움, 협력, 창조, 균형감, 완벽함, 평형, 보상, 보호, 책임, 공감, 치유
인물	긍정적인 변화를 꿈꾸며 이상적 변화를 시도하는 사람

ENTVII - RASHNESS.

넘버	7
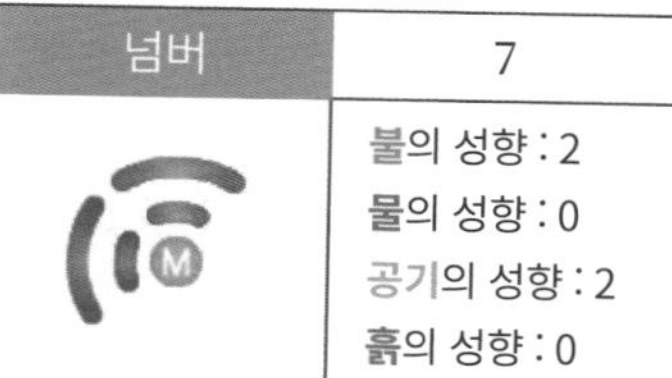	불의 성향 : 2 물의 성향 : 0 공기의 성향 : 2 흙의 성향 : 0

유니버셜웨이트	마르세이유

MBTI 타로카드 전문분해	
제목	**ENT**Ⅶ
주제어	RASHNESS.
의미	경솔함, 자만심, 위험함, 성급함, 부분적 성공, 자신만의 이익
적용 원리 기초 안내	1. 공기(NT) + E + 숫자 7 = **ENT**Ⅶ 2. EN__: 행동 지향적인 창안자, _NT_: 논리적, 창의적인 유형, E_T_: 행동 지향적인 사고가 3. E: 에너지 방향(주의 초점) 외부, 중요한 결정이나 행동이 주체에 의하지 않고 객관적인 상황에 의해 좌우 4. 숫자 7: 준비, 자기 보호, 자아 성찰, 고독, 명확성, 상상, 완벽주의, 분석, 은둔, 현명한, 불안정, 철학, 내면의 이해, 각성, 큰 변화
인물	성급한 사고로 인해 경솔한 행동을 하는 사람

ENTVIII - DILEMMA.

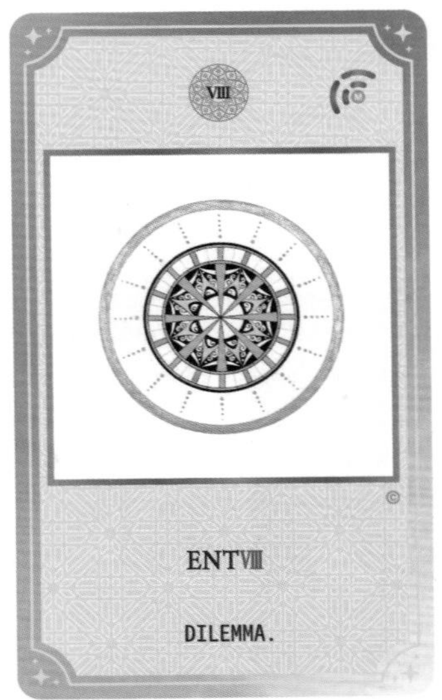

넘버	8
	불의 성향 : 2 물의 성향 : 0 공기의 성향 : 2 흙의 성향 : 0

유니버셜웨이트	마르세이유

MBTI 타로카드 전문분해	
제목	**ENT**Ⅷ
주제어	DILEMMA.
의미	속수무책, 고통, 위기상황, 두려움, 고민, 혼란, 부정적 사고에 사로잡힌
적용 원리 기초 안내	1. 공기(NT) + E + 숫자 8 = **ENT**Ⅷ 2. EN__: 행동 지향적인 창안자, _NT_: 논리적, 창의적인 유형, E_T_: 행동 지향적인 사고가 3. E: 에너지 방향(주의 초점) 외부, 중요한 결정이나 행동이 주체에 의하지 않고 객관적인 상황에 의해 좌우 4. 숫자 8: 구조 조정, 전진, 자유로운 이동, 진행, 조직화, 체계화, 야망, 자기 파괴적인, 권한, 권력, 자립, 실용성
인물	부정적 사고로 인해 진퇴양난의 상황에 처한 사람

ENTIX - STRESS.

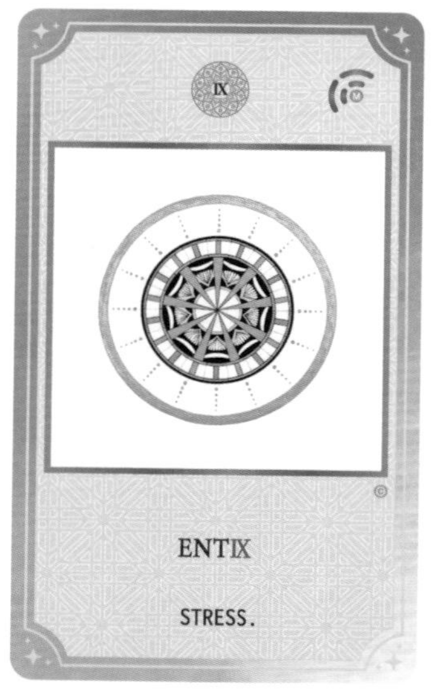

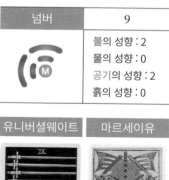

넘버	9
	불의 성향 : 2 물의 성향 : 0 공기의 성향 : 2 흙의 성향 : 0

유니버셜웨이트	마르세이유

MBTI 타로카드 전문분해	
제목	**ENTIX**
주제어	STRESS.
의미	스트레스, 근심, 외로움, 우울증, 상처, 고통, 이별, 절망, 후회
적용 원리 기초 안내	1. 공기(NT) + E + 숫자 9 = **ENTIX** 2. EN__: 행동 지향적인 창안자, _NT_: 논리적, 창의적인 유형, E_T_: 행동 지향적인 사고가 3. E: 에너지 방향(주의 초점) 외부, 중요한 결정이나 행동이 주체에 의하지 않고 객관적인 상황에 의해 좌우 4. 숫자 9: 완성, 종결, 완벽, 달성, 기대, 성공, 인간적인, 자기 이해, 완전함, 보편적, 일반적, 성취한 지혜
인물	과거 행동에 대한 후회로 인해 스트레스의 상황에 처한 사람

ENTX - RUIN.

넘버	10
	불의 성향 : 2 물의 성향 : 0 공기의 성향 : 2 흙의 성향 : 0

유니버셜웨이트	마르세이유

MBTI 타로카드 전문분해	
제목	**ENT** X
주제어	RUIN.
의미	파멸, 절망, 불행, 죽음, 부정적 사고의 현실화
적용 원리 기초 안내	1. 공기(NT) + E + 숫자 10 = **ENT** X 2. EN__: 행동 지향적인 창안자, _NT_: 논리적, 창의적인 유형, E_T_: 행동 지향적인 사고가 3. E: 에너지 방향(주의 초점) 외부, 중요한 결정이나 행동이 주체에 의하지 않고 객관적인 상황에 의해 좌우 4. 숫자 10: 모든 과정을 거친 후의 최종 완성, 성숙함, 숙달, 추구된 완벽함, 초과, 기준을 넘음, 과한 욕심
인물	부정적 사고의 현실화로 인해 큰 고통의 상황에 처한 사람

4. 펜타클 - ISTA - REVENUE.

넘버	1(A)
	불의 성향 : 0 물의 성향 : 1 공기의 성향 : 1 흙의 성향 : 2

유니버셜웨이트	마르세이유

MBTI 타로카드 전문분해	
제목	**ISTA**
주제어	REVENUE.
의미	큰 수익, 금전, 재정, 성공, 사업, 투자, 물질적 번영, 행복
적용 원리 기초 안내	1. 흙(ST) + I + A(숫자 1) = **ISTA** 2. IS__: 사려 깊은 현실주의자, _ST_: 실제적이고 사실 중심적 유형, I_T_: 반추 지향적 추론가 3. I: 에너지 방향(주의 초점) 내부, 중요한 결정이나 행동은 자기 자신의 주관적 태도에 따라 판단하고 행동한다. 4. 숫자 1: 나, 순수함, 새로운 시작, 의욕적, 근원적인, 독자적인, 강인함, 에너지, 목표 지향적, 독선, 독립, 리더십, 자신감, 개성, 확신, 책임감, 용기, 주관
인물	목적 달성 기회로 인해 현실적이고 실리적인 확신을 갖는 사람

ISTII - BINARY CHOICE.

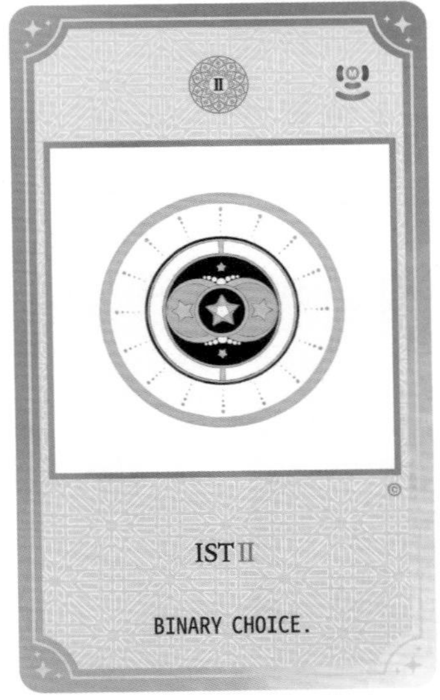

넘버	2
(M)	불의 성향 : 0 물의 성향 : 1 공기의 성향 : 1 흙의 성향 : 2

유니버셜웨이트	마르세이유

MBTI 타로카드 전문분해	
제목	**IST II**
주제어	BINARY CHOICE.
의미	불안정한, 양다리, 순조로운 해결, 양자택일, 집중, 두 가지 일을 동시 진행
적용 원리 기초 안내	1. 흙(ST) + I + 숫자 2 = **IST II** 2. IS__: 사려 깊은 현실주의자, _ST_: 실제적이고 사실 중심적 유형, I_T_: 반추 지향적 추론가 3. I: 에너지 방향(주의 초점) 내부, 중요한 결정이나 행동은 자기 자신의 주관적 태도에 따라 판단하고 행동한다. 4. 숫자 2: 여성을 의미하는 수, 관계, 협동, 수용, 중립, 이중성, 화합, 균형, 조화, 의존, 민감, 수동, 평화, 봉사, 소유, 시기, 질투, 우유부단, 갈등, 대립, 신중, 소극적, 선택
인물	불안정한 상황에서 순조로운 해결을 위해 융통성과 유연성을 발휘하는 사람

ISTIII - COOPERATION.

넘버	3
(M)	불의 성향 : 0 물의 성향 : 1 공기의 성향 : 1 흙의 성향 : 2

유니버셜웨이트	마르세이유

MBTI 타로카드 전문분해	
제목	**ISTIII**
주제어	COOPERATION.
의미	협력, 동업, 의견 합심, 전문적 기술, 역할 분배, 기부, 투자
적용 원리 기초 안내	1. 흙(ST) + I + 숫자 3 = **ISTIII** 2. IS__: 사려 깊은 현실주의자, _ST_: 실제적이고 사실 중심적 유형, I_T_: 반추 지향적 추론가 3. I: 에너지 방향(주의 초점) 내부, 중요한 결정이나 행동은 자기 자신의 주관적 태도에 따라 판단하고 행동한다. 4. 숫자 3: 남성을 의미하는 수, 종합, 확장, 창조, 활력, 소유, 충동, 창의성, 성장, 생동, 성공, 독창적, 협력, 행동, 사교성, 낙천주의
인물	공동의 목표 달성을 위해 융통성과 전문적인 협력을 발휘하는 사람

ISTIV - POSSESSION.

넘버	4
	불의 성향 : 0 물의 성향 : 1 공기의 성향 : 1 흙의 성향 : 2

유니버셜웨이트	마르세이유

MBTI 타로카드 전문분해	
제목	**ISTⅣ**
주제어	POSSESSION.
의미	강한 소유욕, 자기중심적, 집착, 욕심, 인색함, 절약, 저축, 풍요
적용 원리 기초 안내	1. 흙(ST) + I + 숫자 4 = **ISTⅣ** 2. IS__: 사려 깊은 현실주의자, _ST_: 실제적이고 사실 중심적 유형, I_T_: 반추 지향적 추론가 3. I: 에너지 방향(주의 초점) 내부, 중요한 결정이나 행동은 자기 자신의 주관적 태도에 따라 판단하고 행동한다. 4. 숫자 4: 안정, 정지, 질서, 기초, 전통, 신중, 계획성, 현실적, 구조, 권위, 물질, 계약, 현상, 보수적, 실용적, 실천, 가치, 신뢰, 완고
인물	자기중심적인 강한 소유욕으로 인해 인색하며 집착이 강한 사람

ISTV - POOR.

넘버	5
	불의 성향 : 0 물의 성향 : 1 공기의 성향 : 1 흙의 성향 : 2

유니버셜웨이트	마르세이유

MBTI 타로카드 전문분해	
제목	**IST** V
주제어	POOR.
의미	경제적 어려움, 가난, 기회를 놓침, 실패, 근심, 역경, 삶에 찌든
적용 원리 기초 안내	1. 흙(ST) + I + 숫자 5 = **IST** V 2. IS__: 사려 깊은 현실주의자, _ST_: 실제적이고 사실 중심적 유형, I_T_: 반추 지향적 추론가 3. I: 에너지 방향(주의 초점) 내부, 중요한 결정이나 행동은 자기 자신의 주관적 태도에 따라 판단하고 행동한다. 4. 숫자 5: 변화, 산만, 발전, 불안정성, 불확실성, 진보(적), 다양성, 모험적인, 혼란함, 독선, 무책임함, 자유로움, 충동적, 이해, 갈등, 복합
인물	어려운 현실, 복잡한 이해타산으로 인해 경제적 어려움에 처한 사람

ISTVI - DISTRIBUTION.

넘버	6
	불의 성향 : 0 물의 성향 : 1 공기의 성향 : 1 흙의 성향 : 2

유니버셜웨이트	마르세이유

MBTI 타로카드 전문분해	
제목	**ISTVI**
주제어	DISTRIBUTION.
의미	분배, 관용, 나눔, 만족, 기쁨, 공평함
적용 원리 기초 안내	1. 흙(ST) + I + 숫자 6 = **ISTVI** 2. IS__: 사려 깊은 현실주의자, _ST_: 실제적이고 사실 중심적 유형, I_T_: 반추 지향적 추론가 3. I: 에너지 방향(주의 초점) 내부, 중요한 결정이나 행동은 자기 자신의 주관적 태도에 따라 판단하고 행동한다. 4. 숫자 6: 이상주의, 완성, 안정적인, 조화로움, 협력, 창조, 균형감, 완벽함, 평형, 보상, 보호, 책임, 공감, 치유
인물	기준에 따른 분배를 준수하고, 관용을 베푸는 공평한 사람

ISTVII - CONTEMPLATION.

넘버	7
(M)	불의 성향 : 0 물의 성향 : 1 공기의 성향 : 1 흙의 성향 : 2

유니버셜웨이트	마르세이유

MBTI 타로카드 전문분해	
제목	**IST**VII
주제어	CONTEMPLATION.
의미	계획, 수확, 점검, 심사숙고, 욕심
적용 원리 기초 안내	1. 흙(ST) + I + 숫자 7 = **IST**VII 2. IS__: 사려 깊은 현실주의자, _ST_: 실제적이고 사실 중심적 유형, I_T_: 반추 지향적 추론가 3. I: 에너지 방향(주의 초점) 내부, 중요한 결정이나 행동은 자기 자신의 주관적 태도에 따라 판단하고 행동한다. 4. 숫자 7: 준비, 자기 보호, 자아 성찰, 고독, 명확성, 상상, 완벽주의, 분석, 은둔, 현명한, 불안정, 철학, 내면의 이해, 각성, 큰 변화
인물	여유로운 상황에서 발전적인 가능성을 모색하며 심사숙고하는 사람

ISTVIII - DILIGENCE AND HONESTY.

넘버	8
	불의 성향 : 0 물의 성향 : 1 공기의 성향 : 1 흙의 성향 : 2

유니버셜웨이트	마르세이유

MBTI 타로카드 전문분해	
제목	**IST**Ⅷ
주제어	DILIGENCE AND HONESTY.
의미	근면 성실, 수련자, 인내, 미완성, 노력, 검소함
적용 원리 기초 안내	1. 흙(ST) + I + 숫자 8 = **IST**Ⅷ 2. IS__: 사려 깊은 현실주의자, _ST_: 실제적이고 사실 중심적 유형, I_T_: 반추 지향적 추론가 3. I: 에너지 방향(주의 초점) 내부, 중요한 결정이나 행동은 자기 자신의 주관적 태도에 따라 판단하고 행동한다. 4. 숫자 8: 구조 조정, 전진, 자유로운 이동, 진행, 조직화, 체계화, 야망, 자기 파괴적인, 권한, 권력, 자립, 실용성
인물	요행보다는 꾸준한 노력을 통해 실력을 연마하는 근면 성실한 사람

ISTIX - REWARD.

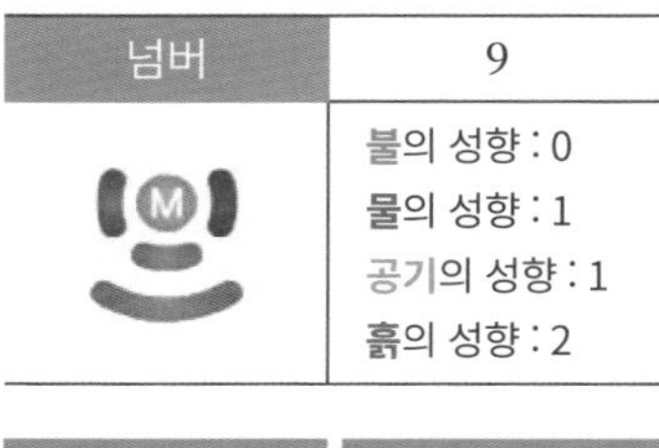

넘버	9
	불의 성향 : 0 물의 성향 : 1 공기의 성향 : 1 흙의 성향 : 2

MBTI 타로카드 전문분해	
제목	**ISTIX**
주제어	REWARD.
의미	풍요, 자유, 성공, 휴식, 보상, 행복, 만족감
적용 원리 기초 안내	1. 흙(ST) + I + 숫자 9 = **ISTIX** 2. IS__: 사려 깊은 현실주의자, _ST_: 실제적이고 사실 중심적 유형, I_T_: 반추 지향적 추론가 3. I: 에너지 방향(주의 초점) 내부, 중요한 결정이나 행동은 자기 자신의 주관적 태도에 따라 판단하고 행동한다. 4. 숫자 9: 완성, 종결, 완벽, 달성, 기대, 성공, 인간적인, 자기 이해, 완전함, 보편적, 일반적, 성취한 지혜
인물	남들과 다른 노력으로 물질적인 번영을 이룬 여유로운 상황의 사람

ISTX - PEACE.

넘버	10
	불의 성향 : 0 물의 성향 : 1 공기의 성향 : 1 흙의 성향 : 2

유니버셜웨이트	마르세이유

MBTI 타로카드 전문분해	
제목	**IST** X
주제어	PEACE.
의미	화목, 안정, 풍요, 성공, 사회적 명성
적용 원리 기초 안내	1. 흙(ST) + I + 숫자 10 = **IST** X 2. IS__: 사려 깊은 현실주의자, _ST_: 실제적이고 사실 중심적 유형, I_T_: 반추 지향적 추론가 3. I: 에너지 방향(주의 초점) 내부, 중요한 결정이나 행동은 자기 자신의 주관적 태도에 따라 판단하고 행동한다. 4. 숫자 10: 모든 과정을 거친 후의 최종 완성, 성숙함, 숙달, 추구된 완벽함, 초과, 기준을 넘음, 과한 욕심
인물	실질적, 경제적 결실을 통해 가정의 행복, 풍요로움을 이룬 사람

3. MBTI 마이너 인물(COURT)카드

1. 완드 - PAGE: INFP - CURIOSITY.

인물	PAGE

불의 성향 : 2
물의 성향 : 2
공기의 성향 : 0
흙의 성향 : 2

유니버셜웨이트	마르세이유

MBTI 타로카드 전문분해	
제목	**INFP**
주제어	CURIOSITY.
의미	호기심, 열정, 신뢰 있는, 넘치는 자신감, 하나의 목표
MBTI 분석	I**P 적응력 있는 내향형 - 유순하게 보이며, 고집하지 않는다. 설득력에 가치를 두지 않으며, 적응력이 중요하다. *NF* 열정적, 통찰적인 유형 - 신념이 강하고, 의사소통에 뛰어나다. **FP 온화한 유형 - 마음이 따뜻하고 감정에 민감하며, 정에 약하다. IN** 사려 깊은 창안자 - 아이디어와 사고의 범주가 차원이 다를 만큼 넓고도 깊다. 하지만, 사회 적응력이 약하게 보일 수 있다. I*F* 반추 지향적인 조화가 - 반추, 경청하며 상대의 말을 들어주는 입장 *N*P 적응력 있는 창안자 - 변화와 개선을 중시하며, 가능성 있는 변화를 시도한다.
인물	강한 호기심과 열정으로 하나의 목표를 위해 자신감을 내세우며, 가능성 있는 변화를 시도하는 사람

KNIGHT: ENFP - HASTY.

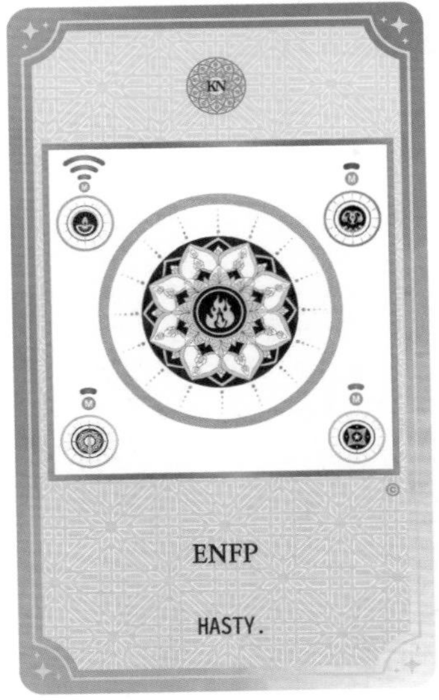

인물	KNIGHT

불의 성향 : 3
물의 성향 : 1
공기의 성향 : 1
흙의 성향 : 1

유니버셜웨이트	마르세이유

MBTI 타로카드 전문분해	
제목	**ENFP**
주제어	HASTY.
의미	도전적인, 열정적인, 성급한, 모험적인, 야심찬
MBTI 분석	E**P 적응력 있는 외향형 - 틀에 얽매이기 싫어하며, 자유분방하다. *NF* 열정적, 통찰적인 유형 - 신념이 강하고, 의사소통에 뛰어나다. **FP 온화한 유형 - 마음이 따뜻하고 감정에 민감하며, 정에 약하다. EN** 행동 지향적인 창안자 - 단순 반복 작업은 질색하며, 새로운 패턴을 구상한다. E*F* 행동 지향적 협력가 - 감정에 이끌려 행동으로 실행한다. *N*P 적응력 있는 창안자 - 변화와 개선을 중시하며, 가능성 있는 변화를 시도한다.
인물	도전적인 성급한 열정으로 계획 없이 자신감을 내세우며, 모험적인 무모한 행동을 하는 사람

QUEEN: INFJ - DESIRE.

인물	QUEEN

불의 성향 : 1
물의 성향 : 3
공기의 성향 : 1
흙의 성향 : 1

유니버셜웨이트	마르세이유

MBTI 타로카드 전문분해	
제목	**INFJ**
주제어	DESIRE.
의미	욕망이 강한, 주도적인, 정열적인, 실용적인, 능력 있는, 유능한, 관대한
MBTI 분석	I**J 결정 지향적인 내향형 - 주관, 인내를 가지고 조용히 자기 노선을 지키며, 강직한 지도자와 같은 모습을 보인다. *NF* 열정적, 통찰적인 유형 - 신념이 강하고, 의사소통에 뛰어나다. **FJ 호의적인 관리자 - 사람 관리에 뛰어나지만, 냉정하지 못하다. IN** 사려 깊은 창안자 - 아이디어나 사고의 범주가 차원이 다를 만큼 넓고도 깊다. 하지만, 사회 적응력이 약하게 보일 수 있다. I*F* 반추 지향적인 조화가 - 반추, 경청하며 상대의 말을 들어주는 입장 *N*J 비전을 가진 의사결정자 - 일관성 있게 추진력을 발휘하며 복잡한 것에 도전한다.
인물	강한 욕망과 열정으로 확신에 찬 자신감을 내세우며, 주도적이고 실용적인 행동을 하는 사람

KING: ENFJ - INSIGHT.

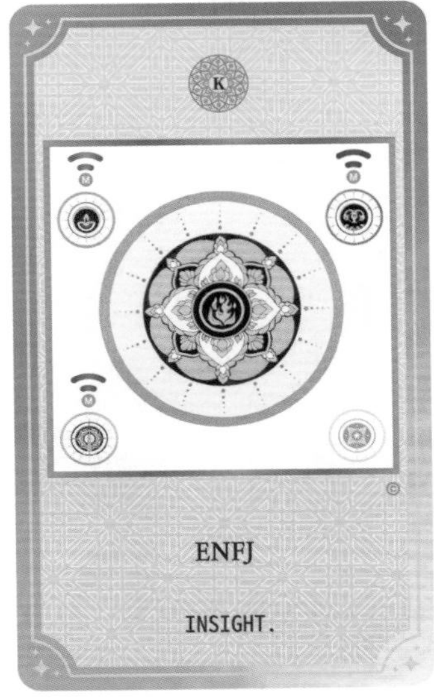

인물	KING

불의 성향 : 2
물의 성향 : 2
공기의 성향 : 2
흙의 성향 : 0

유니버셜웨이트	마르세이유

MBTI 타로카드 전문분해	
제목	**ENFJ**
주제어	INSIGHT.
의미	강력한 리더십, 지적인, 유능한, 창조적인, 통찰력 있는, 책임감 있는
MBTI 분석	E**J 결정 지향적인 외향형 - 신속하며, 확신에 차 있다. 눈에 띄는 솔선수범형 지도자. *NF* 열정적, 통찰적인 유형 - 신념이 강하고, 의사소통에 뛰어나다. **FJ 호의적인 관리자 - 사람 관리에 뛰어나지만, 냉정하지 못하다. EN** 행동 지향적인 창안자 - 단순 반복 작업은 질색하며, 새로운 패턴을 구상한다. E*F* 행동 지향적 협력가 - 감정에 이끌려 행동으로 실행한다. *N*J 비전을 가진 의사결정자 - 일관성 있게 추진력을 발휘하며 복잡한 것에 도전한다.
인물	강력한 리더십과 열정으로 신뢰를 주며, 넓은 통찰력을 발휘하는 창조적인 인물

2. 컵 - PAGE: ISFP - FONDNESS.

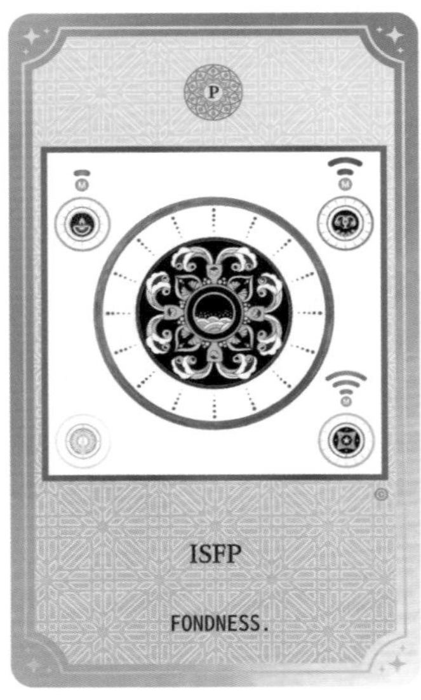

인물	PAGE

불의 성향 : 1
물의 성향 : 2
공기의 성향 : 0
흙의 성향 : 3

유니버설웨이트	마르세이유

MBTI 타로카드 전문분해	
제목	**ISFP**
주제어	FONDNESS.
의미	호기심, 감정이 풍부한, 예술적인, 순수한, 예민한
MBTI 분석	I**P 적응력 있는 내향형 - 유순하게 보이며, 고집하지 않는다. 설득력에 가치를 두지 않으며, 적응력이 중요하다. *SF* 동정적, 우호적인 유형 - 인간 중심적이라 감정에 민감하다. **FP 온화한 유형 - 마음이 따뜻하고 감정에 민감하며, 정에 약하다. IS** 사려 깊은 현실주의자 - 구체적이고 치밀하다. 적용을 잘하며 상황의 세부적 포착에 능숙하다. I*F* 반추 지향적인 조화가 - 반추, 경청하며 상대의 말을 들어주는 입장 *S*P 적응력 있는 현실주의자 - 새로운 경험을 중시하며, 순발력, 순응력이 뛰어나다.
인물	강한 호기심과 순수한 마음으로 하나의 목표를 위해 감정을 내세우며 변화를 시도하는 사람

KNIGHT: ESFP - PROPOSAL.

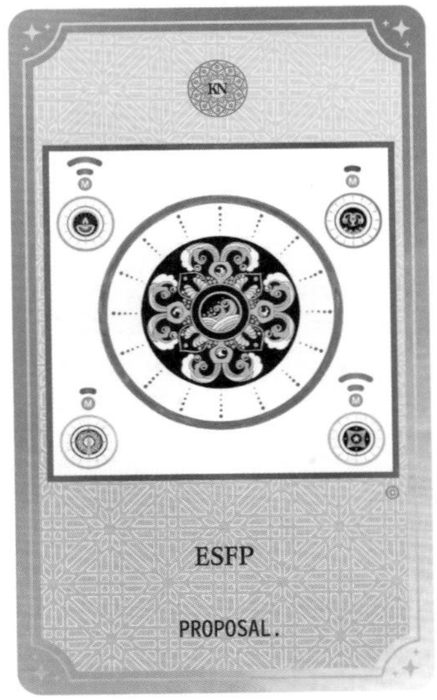

인물	KNIGHT

불의 성향 : 2
물의 성향 : 1
공기의 성향 : 1
흙의 성향 : 2

유니버설웨이트	마르세이유

MBTI 타로카드 전문분해	
제목	**ESFP**
주제어	PROPOSAL.
의미	새로운 시도, 제안, 성공, 기회, 좋은 만남
MBTI 분석	E**P 적응력 있는 외향형 - 틀에 얽매이기 싫어하며, 자유분방하다. *SF* 동정적, 우호적인 유형 - 인간 중심적이라 감정에 민감하다. **FP 온화한 유형 - 마음이 따뜻하고 감정에 민감하며, 정에 약하다. ES** 행동 지향적 현실주의자 - 능동적이며, 현실, 실용 위주로 선택한다. E*F* 행동 지향적 협력가 - 감정에 이끌려 행동으로 실행한다. *S*P 적응력 있는 현실주의자 - 새로운 경험을 중시하며, 순발력, 순응력이 뛰어나다.
인물	새로운 변화를 위해 적극적으로 감정을 표현하며, 감수성이 강하고 정서적인 사람

QUEEN: ISFJ - SENTIMENT.

인물	QUEEN

불의 성향 : 0
물의 성향 : 3
공기의 성향 : 1
흙의 성향 : 2

유니버셜웨이트	마르세이유

MBTI 타로카드 전문분해	
제목	**ISFJ**
주제어	SENTIMENT.
의미	예민한 감수성, 헌신적인, 깊은 감정, 좋은 대인관계
MBTI 분석	I**J 결정 지향적인 내향형 - 주관, 인내를 가지고 조용히 자기 노선을 지키며, 강직한 지도자와 같은 모습을 보인다. *SF* 동정적, 우호적인 유형 - 인간 중심적이라 감정에 민감하다. **FJ 호의적인 관리자 - 사람 관리에 뛰어나지만, 냉정하지 못하다. IS** 사려 깊은 현실주의자 - 구체적이고 치밀하다. 적용을 잘하며 상황의 세부적 포착에 능숙하다. I*F* 반추 지향적인 조화가 - 반추, 경청하며 상대의 말을 들어주는 입장 *S*J 현실적 의사결정자 - 질서정연한 것을 추구하며, 보수적인 경향이 강하다. 조직적이며 신뢰할 만한 성품이다.
인물	관계의 더 큰 발전을 위해 예민한 감수성을 소유하고, 헌신적이며 감정의 세계에 몰두하는 사람

KING: ESFJ - GENEROSITY.

인물	KING

불의 성향 : 1
물의 성향 : 2
공기의 성향 : 2
흙의 성향 : 1

유니버설웨이트	마르세이유

MBTI 타로카드 전문분해	
제목	**ESFJ**
주제어	GENEROSITY.
의미	넓은 마음, 자애로움, 예술적인, 로맨틱한, 관용적인, 사교적인
MBTI 분석	E**J 결정 지향적인 외향형 - 신속하며, 확신에 차 있다. 눈에 띄는 솔선수범형 지도자. *SF* 동정적, 우호적인 유형 - 인간 중심적이라 감정에 민감하다. **FJ 호의적인 관리자 - 사람 관리에 뛰어나지만, 냉정하지 못하다. ES** 행동 지향적 현실주의자 - 능동적이며, 현실, 실용 위주로 선택한다. E*F* 행동 지향적 협력가 - 감정에 이끌려 행동으로 실행한다. *S*J 현실적 의사결정자 - 질서정연한 것을 추구하며, 보수적인 경향이 강하다. 조직적이며 신뢰할 만한 성품이다.
인물	더 큰 목표를 위해 넓은 자애로운 마음을 바탕으로 로맨틱하고 관용적이며 배려심이 큰 사람

3. 소드 - PAGE: INTP - CARELESSNESS.

인물	PAGE

불의 성향 : 2
물의 성향 : 1
공기의 성향 : 1
흙의 성향 : 2

유니버설웨이트	마르세이유

MBTI 타로카드 전문분해	
제목	**INTP**
주제어	CARELESSNESS.
의미	성급함, 냉정함, 목적의식, 경계, 민첩함, 대범함
MBTI 분석	I**P 적응력 있는 내향형 - 유순하게 보이며, 고집하지 않는다. 설득력에 가치를 두지 않으며, 적응력이 중요하다. *NT* 논리적, 창의적인 유형 - 이론적 지식, 아이디어가 많다. **TP 적응력 있는 사고자 - 객관적이고 적응력 있는 사고로 호기심이 많다. IN** 사려 깊은 창안자 - 아이디어와 사고의 범주가 차원이 다를 만큼 넓고도 깊다. 하지만, 사회 적응력이 약하게 보일 수 있다. I*T* 반추 지향적 추론가 - 좋고 싫은 것 등 자기표현이 없다. 끊고 맺는 것이 분명하고, 아무 말 하지 않으면 은근히 긴장감을 조성한다. *N*P 적응력 있는 창안자 - 변화와 개선을 중시하며, 가능성 있는 변화를 시도한다.
인물	목적을 달성하기 위해 행동이 민첩하고 성급하며, 늘 경계심을 늦추지 않는 사람

KNIGHT: ENTP - ACTING POWER.

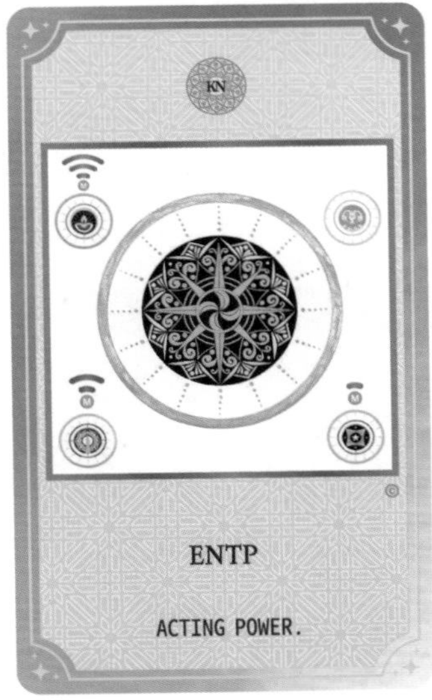

인물	KNIGHT

불의 성향 : 3
물의 성향 : 0
공기의 성향 : 2
흙의 성향 : 1

유니버셜웨이트	마르세이유

MBTI 타로카드 전문분해	
제목	**ENTP**
주제어	ACTING POWER.
의미	행동력, 의리, 용기, 자신감, 대담한, 분노, 공격적
MBTI 분석	E**P 적응력 있는 외향형 - 틀에 얽매이기 싫어하며, 자유분방하다. *NT* 논리적, 창의적인 유형 - 이론적 지식, 아이디어가 많다. **TP 적응력 있는 사고자 - 객관적이고 적응력 있는 사고로 호기심이 많다. EN** 행동 지향적인 창안자 - 단순 반복 작업은 질색하며, 새로운 패턴을 구상한다. E*T* 행동 지향적인 사고가 - 속전속결의 실천력, 행동력이 뛰어나다. *N*P 적응력 있는 창안자 - 변화와 개선을 중시하며, 가능성 있는 변화를 시도한다.
인물	목표 달성을 위해 강한 자신감과 행동력을 보이며, 영웅심과 의리를 소유하고 있지만 성급한 사람

QUEEN: INTJ - MENTAL STRENGTH.

인물	QUEEN

불의 성향 : 1
물의 성향 : 2
공기의 성향 : 2
흙의 성향 : 1

유니버설웨이트	마르세이유

MBTI 타로카드 전문분해	
제목	**INTJ**
주제어	MENTAL STRENGTH.
의미	이성적, 공정, 합리적, 완벽주의, 어려운 상황, 강한 정신력
MBTI 분석	I**J 결정 지향적인 내향형 - 주관, 인내를 가지고 조용히 자기 노선을 지키며, 강직한 지도자와 같은 모습을 보인다. *NT* 논리적, 창의적인 유형 - 이론적 지식, 아이디어가 많다. **TJ 논리적인 의사결정자 - 강인함을 바탕으로 논리적인 의사결정을 한다. IN** 사려 깊은 창안자 - 아이디어와 사고의 범주가 차원이 다를 만큼 넓고도 깊다. 하지만, 사회 적응력이 약하게 보일 수 있다. I*T* 반추 지향적 추론가 - 좋고 싫은 것 등 자기표현이 없다. 끊고 맺는 것이 분명하고, 아무 말 하지 않으면 은근히 긴장감을 조성한다. *N*J 비전을 가진 의사결정자 - 일관성 있게 추진력을 발휘하며 복잡한 것에 도전한다.
인물	어려운 상황에서도 강한 정신력을 발휘하며, 무엇보다 진리를 믿는 냉정하고 합리적인 사람

KING: ENTJ - CHARISMA.

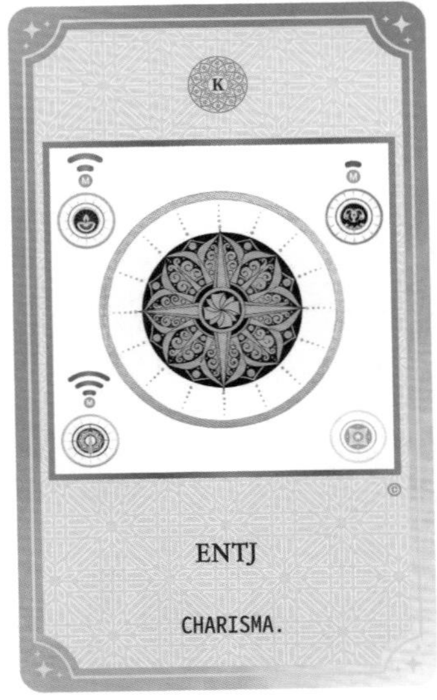

인물	KING

불의 성향 : 2
물의 성향 : 1
공기의 성향 : 3
흙의 성향 : 0

유니버셜웨이트	마르세이유

MBTI 타로카드 전문분해	
제목	**ENTJ**
주제어	CHARISMA.
의미	카리스마, 분석적, 논리적, 공정한, 권위, 전문가
MBTI 분석	E**J 결정 지향적인 외향형 - 신속하며, 확신에 차 있다. 눈에 띄는 솔선수범형 지도자. *NT* 논리적, 창의적인 유형 - 이론적 지식, 아이디어가 많다. **TJ 논리적인 의사결정자 - 강인함을 바탕으로 논리적인 의사결정을 한다. EN** 행동 지향적인 창안자 - 단순 반복 작업은 질색하며, 새로운 패턴을 구상한다. E*T* 행동 지향적인 사고가 - 속전속결의 실천력, 행동력이 뛰어나다. *N*J 비전을 가진 의사결정자 - 일관성 있게 추진력을 발휘하며 복잡한 것에 도전한다.
인물	강한 카리스마로 논리적인 사리 분별과 합리적 엄격함을 바탕으로, 이성과 지성이 균형을 이루고 있는 권위적인 사람

4. 펜타클 - PAGE: ISTP - OBJECTIVES.

인물	PAGE

불의 성향 : 1
물의 성향 : 1
공기의 성향 : 1
흙의 성향 : 3

유니버설웨이트	마르세이유

MBTI 타로카드 전문분해	
제목	**ISTP**
주제어	OBJECTIVES.
의미	강한 목표 의식, 신중함, 집중력, 실용성, 호기심, 물질(경제)적인
MBTI 분석	I**P 적응력 있는 내향형 - 유순하게 보이며, 고집하지 않는다. 설득력에 가치를 두지 않으며, 적응력이 중요하다. *ST* 실제적이고 사실 중심적 유형 - 창작적이고 구름 잡는 이야기를 싫어한다. 실질적이고 사무적이며, 심리적으로 강인하다. **TP 적응력 있는 사고자 - 객관적이고 적응력 있는 사고로 호기심이 많다. IS** 사려 깊은 현실주의자 - 구체적이고 치밀하다. 적용을 잘하며 상황의 세부적 포착에 능숙하다. I*T* 반추 지향적 추론가 - 좋고 싫은 것 등 자기표현이 없다. 끊고 맺는 것이 분명하고, 아무 말 하지 않으면 은근히 긴장감을 조성한다. *S*P 적응력 있는 현실주의자 - 새로운 경험을 중시하며, 순발력, 순응력이 뛰어나다.
인물	호기심과 신중함을 바탕으로, 강한 목표를 세우고 체계적으로 현실적 계획을 세우는 사람

KNIGHT: ESTP - DISCRETION.

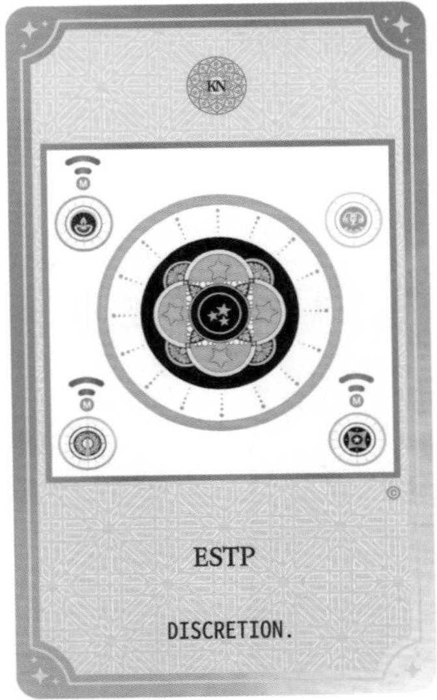

인물	KNIGHT

불의 성향 : 2
물의 성향 : 0
공기의 성향 : 2
흙의 성향 : 2

유니버셜웨이트	마르세이유

MBTI 타로카드 전문분해	
제목	**ESTP**
주제어	DISCRETION.
의미	신중함, 책임감 있는, 인내, 근면, 안정, 정체된, 주의 깊은
MBTI 분석	E**P 적응력 있는 외향형 - 틀에 얽매이기 싫어하며, 자유분방하다. *ST* 실제적이고 사실 중심적 유형 - 창작적이고 구름 잡는 이야기를 싫어한다. 실질적이고 사무적이며, 심리적으로 강인하다. **TP 적응력 있는 사고자 - 객관적이고 적응력 있는 사고로 호기심이 많다. ES** 행동 지향적 현실주의자 - 능동적이며, 현실, 실용 위주로 선택한다. E*T* 행동 지향적인 사고가 - 속전속결의 실천력, 행동력이 뛰어나다. *S*P 적응력 있는 현실주의자 - 새로운 경험을 중시하며, 순발력, 순응력이 뛰어나다.
인물	책임감 있는 강한 신중함을 바탕으로, 실용적인 면에서 인내심 강하고 본인의 능력과 위치를 계속적으로 사고하는 사람

QUEEN: ISTJ - DEVOTION.

인물	QUEEN

불의 성향 : 0
물의 성향 : 2
공기의 성향 : 2
흙의 성향 : 2

유니버셜웨이트	마르세이유

MBTI 타로카드 전문분해	
제목	**ISTJ**
주제어	DEVOTION.
의미	헌신적인, 풍요, 관대한, 행복, 임신, 성공, 넓은 마음
MBTI 분석	I**J 결정 지향적인 내향형 - 주관, 인내를 가지고 조용히 자기 노선을 지키며, 강직한 지도자와 같은 모습을 보인다. *ST* 실제적이고 사실 중심적 유형 - 창작적이고 구름 잡는 이야기를 싫어한다. 실질적이고 사무적이며, 심리적으로 강인하다. **TJ 논리적인 의사결정자 - 강인함을 바탕으로 논리적인 의사결정을 한다. IS** 사려 깊은 현실주의자 - 구체적이고 치밀하다. 적용을 잘하며 상황의 세부적 포착에 능숙하다. I*T* 반추 지향적 추론가 - 좋고 싫은 것 등 자기표현이 없다. 끊고 맺는 것이 분명하고, 아무 말 하지 않으면 은근히 긴장감을 조성한다. *S*J 현실적 의사결정자 - 질서정연한 것을 추구하며, 보수적인 경향이 강하다. 조직적이며 신뢰할 만한 성품이다.
인물	넓은 이해심과 동정심을 바탕으로, 실질적 가치를 잘 알고 활용하는 헌신적인 사람

KING: ESTJ - ECONOMIC POWER.

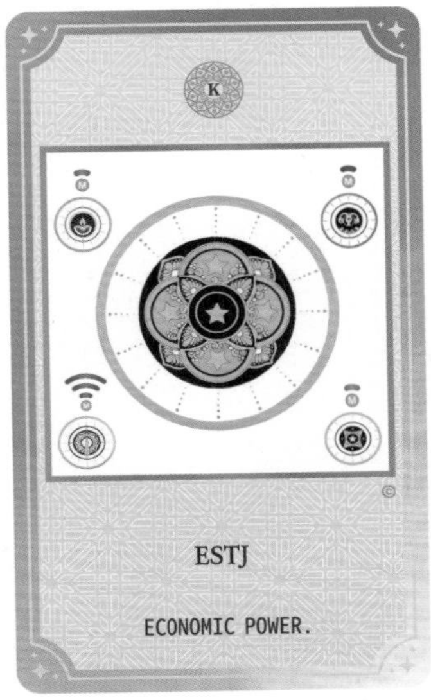

인물	KING

불의 성향 : 1
물의 성향 : 1
공기의 성향 : 3
흙의 성향 : 1

유니버셜웨이트	마르세이유

MBTI 타로카드 전문분해	
제목	**ESTJ**
주제어	ECONOMIC POWER.
의미	경제적 능력, 물질적 풍요, 현명함, 배짱, 강한 소유욕
MBTI 분석	E**J 결정 지향적인 외향형 - 신속하며, 확신에 차 있다. 눈에 띄는 솔선수범형 지도자. *ST* 실제적이고 사실 중심적 유형 - 창작적이고 구름 잡는 이야기를 싫어한다. 실질적이고 사무적이며, 심리적으로 강인하다. **TJ 논리적인 의사결정자 - 강인함을 바탕으로 논리적인 의사결정을 한다. ES** 행동 지향적 현실주의자 - 능동적이며, 현실, 실용 위주로 선택한다. E*T* 행동 지향적인 사고가 - 속전속결의 실천력, 행동력이 뛰어나다. *S*J 현실적 의사결정자 - 질서정연한 것을 추구하며, 보수적인 경향이 강하다. 조직적이며 신뢰할 만한 성품이다.
인물	물질적 풍요와 경제적 능력을 기반으로, 강한 소유욕을 가지고 있는 계산적이고 실리적인 사람

MBTI 타로카드 실전상담

1. 마스터 트레이너 전문 상담

우리 부부의 성격이 삶의 모습으로 어떻게 나타날까요?

상담 문의 내용

우리 부부는 모두 50대로 저는 교사이고, 남편은 회사원입니다. 우리의 성격이 삶의 모습으로 어떻게 나타날까요? 그리고, 우리의 성격과 연관하여 삶의 지침으로 알아야 할 사항이 궁금합니다. 저는 MBTI가 ENTP이고, 남편은 ESTP예요.

상담자: 최옥환 & 이미정

넘버	제목	영문 제목	MBTI 제목	4기능			
				주	부	3차	열등
1	창조	CREATIVITY.	**ENTP**	Ne	Ti	F	Si
7	추진	DRIVING FORCE.	**ESTP**	Se	Ti	F	Ni

1. MBTI 타로 기초 상담

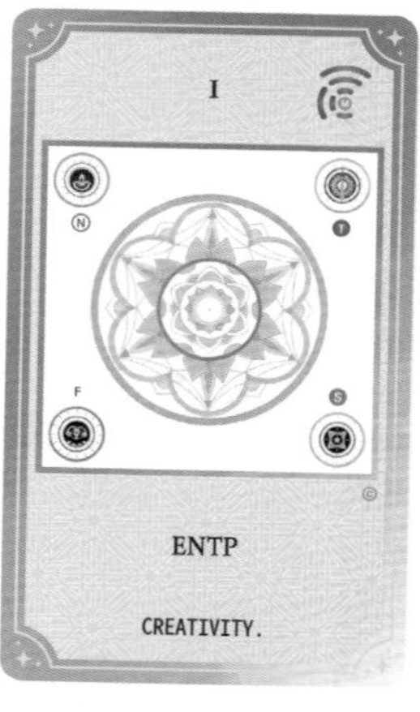

ENTP(내담자)

ESTP(배우자)

상담 진행 내용

내담자는 ENTP로 4원소 중에서 불이 3, 물은 0, 공기는 2, 흙은 1로 에너지 방향을 외부로 사용하는 E 성향, 양의 에너지가 강합니다. 남편분도 ESTP로 4원소 중에서 불이 2, 물은 0, 공기는 2, 흙은 2로 에너지 방향을 외부로 사용하는 E의 성향, 양의 에너지가 강합니다.

이처럼 두 분은 모두 에너지 방향을 외부로 사용하는 양의 성향으로 매칭이 됩니다. 따라서, 두 분은 에너지를 사용하는 활동적인 생활에서 더 활력을 얻을 수 있습니다.

두 분을 상대적으로 비교해 보면, 배우자보다 내담자가 불, 공기의 양의 에너지를 더 많이 소유하고 있어 더 활동적인 생활을 더 좋아함을 쉽게 파악할 수 있습니다.

또한, 두 분은 4원소 중 물의 원소가 없는 성향으로, 감정적인 부분에 있어서는 쉽게 영향을 받지 않습니다. 두 분 모두 공기는 2로 사고적인 부분에서는 평소 생각하고 토론하는 것을 좋아하고 또한, 두 분은 이런 부분에서 서로 잘 통합니다.

펜타클의 상황에서는 내담자는 흙이 1, 배우자는 2이므로 경제적인 부분이나 물질적인 면에서 내담자보다 배우자가 상대적으로 조금 더 신경을 쓰는 편임을 알 수 있습니다.

평소 외부적인 방향으로 에너지를 사용하는 두 분은 상황에 따라 적당한 충전이 필요할 수 있고, 물의 요소가 없어 타인의 마음을 이해해주는 배려심, 동정심도 적절히 잘 발휘할 필요가 있습니다.

실제의 생활 모습 (내담자 작성)

우리 부부는 실제로 외부 활동을 좋아해서 주말에 집에 붙어있지 않고 항상 밖으로 나가서 각자의 생활을 즐기거나 함께 밖에서 즐거움을 찾습니다. 저는 등산을 좋아해서 낮은 산이건 높은 산이건 가리지 않고 등산을 즐깁니다. 남편은 낚시를 좋아해서 1년에 1박 2일로 떠나는 낚시 여행을 열 번 넘게 행합니다. 그리고 국내 여행이건 해외여행이건 함께 여행을 즐기며 자연과 식물을 찾아 떠나는 여행 취향도 비슷합니다.

영화나 드라마를 볼 때 울지 않는다는 이야기를 듣고 깜짝 놀랐습니다. 진짜 슬픈 매체를 대하더라도 우린 울지 않아요. 영화가 아니라 실제 상황에서도 잘 울지 않습니다. 두 아들이 군에 입대할 때도 부부 모두 울지 않았을 정도로 굳세죠.

MBTI 타로가 이런 사실을 다 알고 있었다니 놀라울 따름입니다.

우린 대화와 토론을 즐깁니다. 밥상머리에서나 술자리에서나 어떤 주제를 놓고 서로의 생각을 존중하며 대화하는 것을 좋아하고 상대의 생각에서 배울 점을 찾기도 합니다.

저는 경제 관념이 별로 없어서 예금이나 적금의 만기를 놓칠 때도 많고, 사는 데 돈이 크게 중요하지 않다고 생각해서 재산 증식에 관심이 없습니다. 그에 비해 남편은 예금 적금 만기를 체크하고 부동산을 매매하거나 재산 증식에 관심을 기울입니다.

내담자 소감문

정말 감탄사가 저절로 나오는 놀라운 MBTI 타로카드입니다.

'나는 누구인가?'에 대한 해답을 주는 매우 유용한 도구라고 느꼈습니다~~

특히, MBTI를 타로카드의 4원소와 상징성을 이용하여 융합하는 아이디어는 MBTI 타로카드 전문가 & 타로카드 전문가가 아니었더라면 생각조차 불가능한 일이었을 것입니다. MBTI 타로카드를 통해, MBTI와 타로카드 모두 많은 대중화가 될 것 같아요.

MBTI 타로카드가 나를 이해하고, 더 나아가 우리를 서로 이해하며, 함께 성장할 수 있는 도구로 사용되길 희망합니다.

"MBTI 타로카드 정말 매력적이에요~~"

2. MBTI 타로 중급 상담

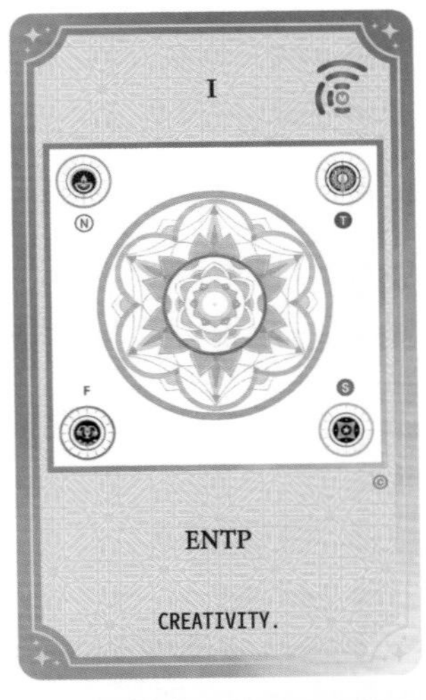

ENTP(내담자)

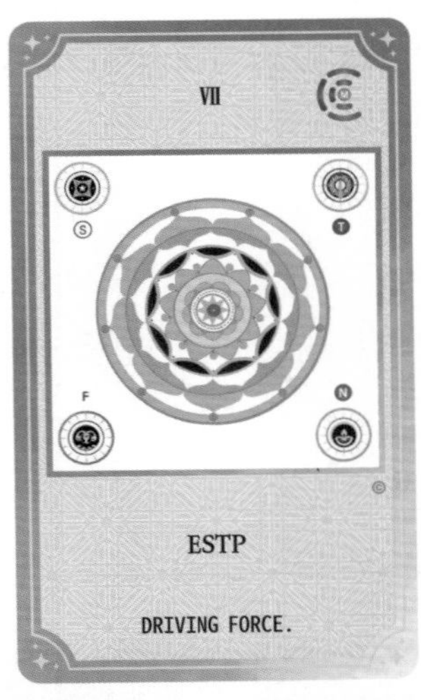

ESTP(배우자)

추가 중급 상담 진행 내용

<1. MBTI 타로 기초 상담>에 중급 상담 진행 내용 추가

넘버	제목	영문 제목	의미
1	창조	CREATIVITY.	**창조적 능력**
7	추진	DRIVING FORCE.	**강한 추진력**

내담자와 배우자의 만다라 타로카드를 활용한 추가 상담은 수비학, 제목과 의미, 이미지 및 상징 등만으로도 간단히 섬세한 의미를 가미할 수 있습니다.

먼저 내담자는 수비학 1, 배우자는 수비학 7입니다.

1은 시작, 의지, 독단을 의미하며, 7은 이겨내기 어려움, 각성, 추진 등을 의미합니다.

또한, 두 수 모두 의지를 발휘하여 결과를 얻으려는 양의 성향이 강합니다.

따라서 내담자는 행동에 있어 강한 의지를 발휘하는 성향이고, 배우자는 행동을 통해 각성을 얻으며, 이를 토대로 추진하는 성향이라 할 수 있습니다.

제목과 의미를 살펴보면, 내담자는 창조(CREATIVITY.), 창조적 능력이고, 배우자는 추진(DRIVING FORCE.), 강한 추진력입니다. 이미지나 상징적인 면을 살펴보면 내담자는 다재다능하고, 독창적이고 분석적이며, 탁월한 의사소통 능력을 소유하고 있는 것에 반해 배우자는 강한 추진력과 강한 의지, 적극적인 행동력을 소유하고 있습니다.

3. MBTI 타로 고급 상담

넘버	제목	영문 제목	MBTI 제목	4방향			
				주	부	3차	열등
1	창조	CREATIVITY.	**ENTP**	Ne	Ti	F	Si
7	추진	DRIVING FORCE.	**ESTP**	Se	Ti	F	Ni

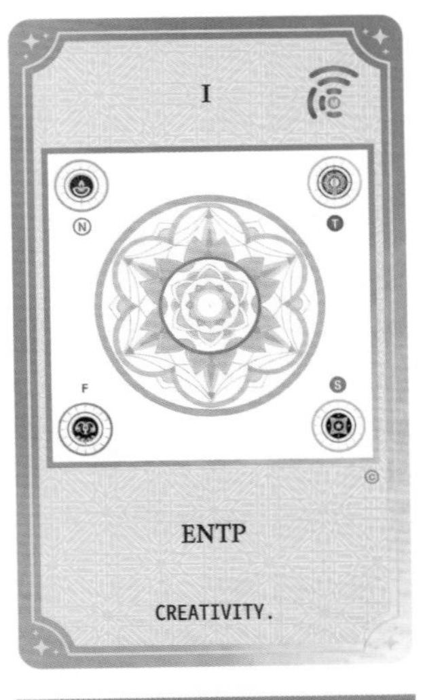

ENTP(내담자)

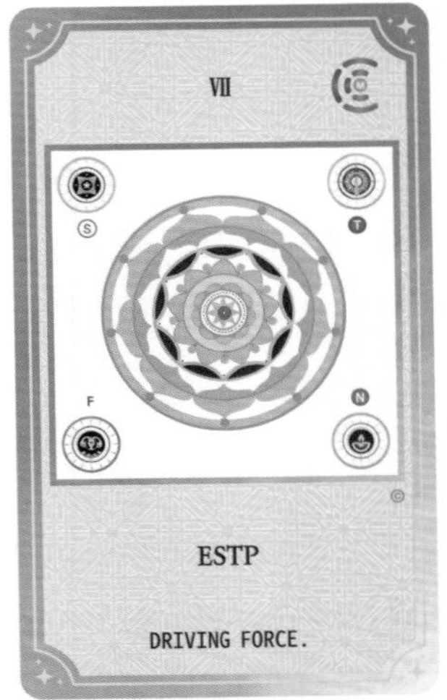

ESTP(배우자)

추가 고급 상담 진행 내용

<2. MBTI 타로 중급 상담>에 고급 상담 진행 내용 추가

MBTI 제목	4기능			
	주	부	3차	열등
ENTP	Ne	Ti	F	Si
ESTP	Se	Ti	F	Ni

내담자(ENTP)는 주기능이 Ne, 부기능이 Ti, 3차기능이 F, 열등기능이 Si입니다.

즉, ENTP인 내담자의 주기능은 외향적 직관(Ne)으로 독창적이고 혁신적인 아이디어에 대한 가능성을 탐색하기 위해 다양한 방법과 가능성을 찾으며, 내향적 사고(Ti)를 부기능으로, 아이디어와 계획 이행을 분석적으로 비평하기 위해 논리를 사용합니다.

또한, 3차 기능은 감정(F)으로 다른 사람의 요구를 참작하며, 내향적 감각(Si)을 열등기능으로 현실에 의한 한계를 고려합니다.

사고(Ti)가 부기능인 외향적 직관형은 창의력이 풍부하고 항상 새로운 가능성을 찾아 나가는 혁신가이며, 넓은 안목을 가지고 있어 다방면에 재주가 많습니다. 또한, 사람들의 동향에 기민하고 박식, 민첩하며 여러 가지 일에 재능을 발휘합니다.

ENTP 내담자는 복잡한 문제 해결에 뛰어난 재능을 보이며 활력적인 에너지를 가지고 있습니다. 끊임없이 새로운 일을 찾아 나서지만, 일상적이고 치밀함을 요구하는 일에는 쉽게 권태를 느낍니다. 아이디어와 하고 싶은 것은 많지만 끝까지 완수하지 못하는 경향이 있습니다. 하지만, 이런 ENTP인 내담자는 다재다능하고 활력이 넘치며, 마음만 먹으면 못 하는 일이 없습니다. 일 없이는 살 수 없는 사람이어서, 에너지를 방출할 수 있는 통로를 찾아야 합니다. 그렇지 않으면 하고 싶은 것은 많은데 답답해서 견디지 못합니다. 직업적인 방황을 하기 쉬우며, 흥미 없는 일에는 손가락 하나 까딱하지 않습니다. 하지만, ENTP인 내담자는 내향적 감각(Si)인 열등 기능이라 새로운 것을 추구하다 보면 새로운 아이디어와 비전에 몰입하여 현재의 중요성을 간과하기 쉬우며, 감정(F)이 3차 기능이라 다른 사람들의 노력을 인정하고 칭찬할 줄 알아야 한다는 점에 유의해야 합니다.

배우자(ESTP)는 주기능이 Se, 부기능이 Ti, 3차기능이 F, 열등기능이 Ni입니다.

즉, ESTP인 배우자는 주기능이 외향적 감각(Se)으로 끊임없이 다채로운 세계에서 활동하는 것을 즐기고, 자발적으로 그 세계와 교류하는 것을 좋아하는 행동파입니다. 부기능이 내향적 사고(Ti)로, 실질적인 문제를 해결하기 위해 손쉬운 방법과 논리를 사용합니다. 또한, 3차 기능은 감정(F)

으로, 결정이 어떻게 사람들에게 영향을 미치는지에 주목합니다. 열등 기능은 내향적 직관(Ni)으로, 미래에 대한 내적 이미지를 형성합니다.

사고(Ti)가 부기능인 외향적 감각형은 경험에 개방적이기 때문에 사물, 사건이나 사람에 대해 선입견이나 편견을 가지지 않고 있는 그대로 수용하기를 좋아합니다. 관대하고 느긋하며 우호적이고 관용적이어서 적응을 잘합니다.

'반드시', '꼭' 무엇을 해야 한다는 조바심이 없고 특별한 규범이나 법칙에 얽매이기보다는 현재 상황에 맞추어 가며, 항상 새로운 가능성을 시도합니다.

그들의 감각에 새로운 것은 무엇이나 호기심을 느끼며, 삶을 즐기는 형입니다. 현재 상황, 현재의 순간에 무엇이 필요한지 잘 감지하며, 많은 사람을 쉽게 기억하고 예술적인 멋과 판단력을 가지고 있으며, 연장이나 재료들을 다루는 데 능숙합니다.

독창적인 혁신가이고 창의력이 풍부하며 의사결정에서는 감정기능인 인간적인 가치나 정(情)보다는 논리적 분석을 중시합니다. 공부나 독서보다는 직접적 체험을 통해 더 많은 것을 배웁니다. ESTP는 현실적이고, 활동적이며, 적응력이 요구되는 직업에 잘 어울립니다. 그들은 삶을 즐기는 유형이기 때문에 재미를 주며, 매력적입니다. 물질적 소유를 즐기며, 물질적 풍요를 누리는 일에 관심이 많습니다.

이런 ESTP의 배우자는 놀기 좋아하고 운동을 좋아하는 호인형으로, 관대하고 느긋합니다. 사람을 좋아하며 선입견이 없고 만사를 있는 그대로 받아들입니다. 또한, 남의 말을 잘 듣고 상식이 풍부하며, 사람을 편하게 합니다. 하지만, ESTP는 끈기와 인내가 필요한 상황에서는 악착스러움이 필요할 수 있습니다. 즉흥적인 행동에 치우쳐 사전계획 없이 바로 문제에 뛰어드는 경향이 있으며, 판단기능을 개발하지 않으면 즐기는 것으로 끝날 위험이 있습니다. 물질적인 것에 집착하기 쉬우므로 그 이면의 즐거움도 알아야 할 필요가 있습니다. 열등 기능이 직관이라 신념 등이 결여되어 정신적인 면을 등한시하기 쉬우므로, 정신적인 세계를 추구한다든지 자기 신념의 개발이 필요합니다. 또한, 일을 잘 벌이는 경향이 있으므로 마무리 짓는 습관을 길러야 하며 변화 만을 추구하다 보면 본의 아니게 주위 사람들을 육체적, 경제적 곤경에 빠뜨릴 수 있다는 점에 유의해야 합니다.

2. 공저, 트레이너 전문 상담

상담 1-1) 휴대폰 중독을 고칠 수 있을까요?

상담 문의 내용

상담자: 조혜진

저는 요즘 휴대폰 숏츠 영상에 중독되어 있습니다. 숏츠 영상을 너무 많이 보는 것이 저에게 좋지 않음을 알면서도 쉽게 손에서 놓지 못하고 있습니다. 제 성격이 왜 이런지 궁금합니다. 그리고 어떻게 하면 이런 중독을 고칠 수 있을지 궁금합니다. 저는 ESFP입니다.

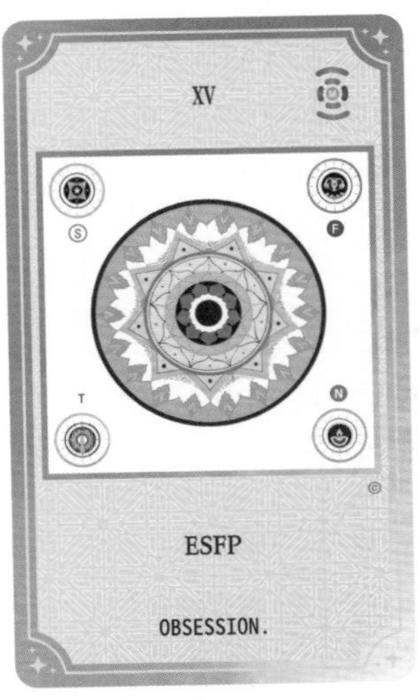

ESFP(내담자)

타로카드(악마카드)

상담 진행 내용

내담자는 ESFP로 불이 2개, 물이 1개, 공기가 1개, 흙이 2개입니다.

불과 흙의 요소가 강하고 물과 공기의 요소는 약함을 알 수 있습니다. 특히 공기의 요소는 신중함과 이성적 사고능력인데 이러한 부분에서 부족함이 있습니다. ESFP의 타로카드는 악마카드인데, 이 카드는 지나친 욕망이나 욕구, 물질적 탐욕을 의미합니다. 균형을 이루지 못하고 한쪽에 너무 치우쳐 상황적 흐름이나 결과가 그릇되고 있음을 나타냅니다. 또한 현실에서 일어날 수 있는 여러 유혹과 부정적인 상황을 나타내며 현실을 정확히 파악하고 직시할 필요가 있음을 알려주는 카드이기도 합니다. 보통 편중이 심하고 개선이 어려운 상황의 중독 문제와 연관됩니다.

악마카드에서 남녀의 목에 걸려있는 쇠사슬은 구속, 속박, 억압을 나타냅니다. 그러나 다행스럽게도 악마 카드에 나와 있는 두 남녀의 목에 메여있는 쇠사슬은 느슨한 상황이라 강한 의지를 발휘한다면 구속, 속박, 억압에서 벗어날 수 있음을 암시하고 있습니다. 즉, 상황을 정확히 직시하고 의지를 발휘하여야만 역경에서 벗어날 수 있다는 것을 알리는 카드입니다. ESFP는 Se가 주기능, Fi가 부기능,T가 3차기능, Ni이 열등기능입니다. ESFP는 친절하고 수용적이며 현실적이고 실제적입니다. 어떤 상황에도 잘 적응하고 타협적입니다. 새로운 사건 혹은 물건에도 관심과 호기심이 많습니다. 그러나 ESFP는 논리적이고 분석적인 판단기능이 부족할 수 있으며 일과 놀이의 조절이 필요합니다.

또한, ESFP는 시간 관리에 노력을 기울일 필요가 있습니다. 인생을 즐기는 ESFP는 다른 유형보다 더 유혹에 빠지기 쉬운 경향이 있습니다. 충동적인 경향이 있고 남녀 모두 심리적, 신체적 유혹에 취약합니다. 고통이 따르면 인내심이 모자라고 피하려고 합니다. 불안의 수용도가 모든 유형 중 가장 낮습니다. 가능한 어떤 상황의 어두운 측면을 피함으로써 불안을 피하고자 합니다. 자신을 절제하지 못하고 유혹에 매우 쉽게 넘어갈 수 있는 ESFP는 중요한 일부터 우선적으로 처리해 나가면서 일과 놀이

사이에 균형을 맞출 필요가 있습니다. 인생에 대한 폭넓은 시야와 장기적인 비전을 갖는 것이 중요합니다. 성공적이고 안정된 조직 및 시간 운영 방식을 활용한다면 자신의 결점을 극복하는 데 도움이 될 것입니다.

ESFP는 활동적으로 살기 때문에 미리 계획을 세우지 못하는 경우가 많습니다. 휴대폰의 지나친 사용을 피하기 위해서는 하루의 일들에 우선순위를 정해보고 그것으로 계획을 세워보는 것이 중요합니다. 또한 일정한 시간 동안만 휴대폰을 하도록 자신과의 약속을 하는 것도 좋을 것입니다. 아무런 계획이 없이 하루를 살다 보면 휴대폰을 손에 놓지 못하는 시간이 길어질 것입니다.

휴대폰 중독에서 벗어나기 위해서는 첫째, 자신의 상태를 정확하게 이해해야 합니다. 그러므로 하루에 얼마나 휴대폰을 사용하고 있는지 정확한 데이터를 통해 자신의 상태를 체크해 보아야 합니다. 둘째, 중독의 악영향을 찾아봅니다. 휴대폰 중독은 건강 문제, 관계의 문제를 일으킬 수 있습니다. 셋째, 한 달 정도 절제의 기간을 갖습니다. 뇌의 보상 경로를 재구성하는 데 걸리는 최소한의 시간이 보통 한 달입니다. 절제를 통해서 상대적으로 덜 강한 보상에서 쾌락을 얻는 능력을 회복하는 것이 필요합니다. 절제를 위해서는 휴대폰과 거리 두기를 해야 합니다. 어플리케이션을 사용해 일정 시간 동안 휴대폰을 잠금 상태로 만드는 방법이 있을 것입니다. 넷째, 기준을 잡아 일정 기간으로 접근을 제한함으로써 시간적 기회를 줄이고 사용에 한계를 둡니다.

내담자 소감문

제가 유혹에 약한 부분이 있는데, 상담을 통해 왜 그런지를 알게 되었습니다. 또한 휴대폰을 얼마나 사용하는지 정확하게 알지 못하였는데 이번 기회를 통해서 휴대폰으로 하루에 몇 시간을 낭비하는지 알게 되어 더욱 명확하게 숏츠를 보는 것을 그만두어야겠다는 생각을 했습니다.

혼자서만 고민할 때보다 상담을 받은 후 어떻게 문제를 해결해야 하는지 방향을 찾을 수 있었습니다.

상담 1-2) 하나에 집중할 수 없는 저에게 어떤 문제가 있을까요?

상담 문의 내용

상담자: 조혜진

저는 예전부터 하나에 집중하지 못하고 항상 이것저것 시도하다가 중도에 포기해 버리는 경우가 많았습니다. 그래서 한 분야에 전문가는 되지 못하는 제 성격이 마음에 들지 않습니다. 제 성격이 왜 이런지 알고 싶습니다. 저는 ENFP입니다.

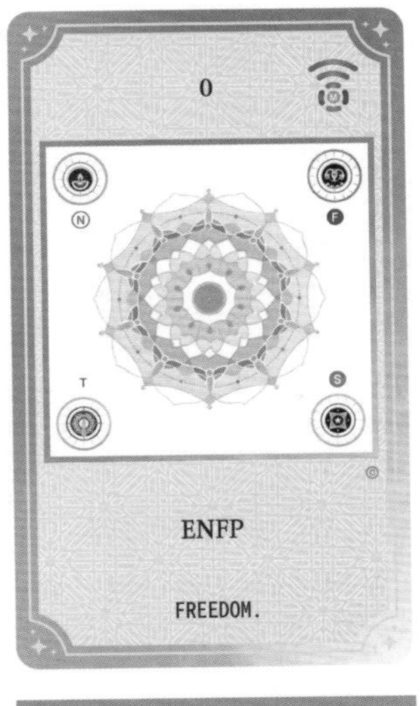

ENFP(내담자)

타로카드(바보카드)

상담 진행 내용

내담자는 ENFP로 4원소 중에서 불이 3, 물은 1, 공기는 1, 흙은 1로 에너지 방향을 외부로 사용하는 E 성향이 강합니다. 불은 행동, 모험, 에너지, 투쟁을 상징합니다. 그래서 불이 강한 유형의 사람은 창조적이며 열정적이고 다혈질적이며 직관적입니다. 물의 성향은 감정, 사랑, 관계를 의미하며 공기의 성향은 이성, 논리, 판단, 지성을 의미하고 흙의 성향은 돈, 경제, 물질, 현실, 재능을 의미합니다. ENFP는 불의 성향이 매우 강하고 물, 공기, 흙의 성향은 약합니다. 불의 성향이 강하므로 열정과 에너지는 넘치고 그것들이 활활 타오르는 대신 유지가 어려울 수 있습니다. 그러므로 물, 공기, 흙의 요소에서 도움을 얻을 수 있어야 합니다. 한 가지 일을 끝까지 마무리하기 위해서는 주변의 응원과 격려가 필요하고 실질적인 결과를 만들기 위해서는 세부적인 계획이 필요하며 바쁠수록 효율적인 방법을 찾는 것이 중요합니다.

ENFP에 해당하는 유니버셜 웨이트카드는 '바보카드'입니다. 바보카드는 순수함, 자유로움, 시작을 의미하는 카드입니다. 자유롭고 희망으로 가득 차 보이는 주인공은 엄마 배 속에서 갓 태어난 아기와 비슷합니다. 즉, 아무것도 알지 못하는 무지의 상태로 새로운 세상에서 새로운 인생을 경험하기 위해 출발하는 순진무구한 호기심으로 가득 찬 어린 아기와 같은 주인공입니다. 그러니, 당연히 가진 것도 없고 욕심도 없습니다. 주위에는 위험한 일들이 산재해 있고 계획성이 부족하고 완벽한 준비가 되지 않아 경솔하고 실수를 만발할 수 있는 상황입니다. 그러므로 항상 일의 시작 전 계획과 준비가 필요함을 명심해야 합니다. 왜 이 일을 시작해야 하는지와 어떻게 마무리할지까지의 세세한 계획을 세워보는 연습을 해야지 일을 끝마칠 수 있을 것입니다.

그리고 바보카드는 긴 여정을 위해서는 여정을 도와줄 수 있는 동료가 필요합니다. 혼자서는 일을 마무리하거나 끝내기 힘들 수 있기에 일을 함께해 갈 수 있는 좋은 동료를 주변에 두는 것도 중요할 것입니다. ENFP의 주기능은 직관기능으로서 항상 새로운 가능성에 대한 도전에 관심을 갖습니다. 그래서 ENFP는 열등기능인 감각기능과 3차기능인 사고기능을 개발하는 것이 필수적입니다. 만약 ENFP가 판단기능이 개발되지 않으면 잘못 선택된 프로젝트에 전념하여 아무것도 마무리 짓지 못한 채, 영감과 에너지를 낭비할 수 있습니다.

ENFP는 새로운 가능성이 있는 자극적인 도전에 항상 끌리기 때문에 판단기능을 개발할 필요가 있습니다. 그렇지 않으면 잘못 선택한 일에 묶여, 성취할 수 없는 과업에 자신의 직관력과 영감을 허비하기 쉽습니다.

그러므로 ENFP인 당신이 선택한 일을 끝까지 해내기 위해서는 가능하면 반복적인 업무를 다른 사람에게 위임하고 팀을 만들어서 일해야 합니다. 또한 현재의 일이 지루하다면 초점에 변화를 주어 일에 다른 측면에 주목해 보십시오. 무작정 일을 벌일 것이 아니라 일의 우선순위를 정해보고 한번 시작한 일은 끝까지 마무리하려는 습관을 들여야 할 것입니다. 그리고 미리 계획을 세워보아 자신에게 맞지 않는 분야에 에너지를 낭비하는 일이 없도록 해야 할 것입니다.

그리고 성공을 위해서는 자신의 장점을 활용해야 합니다. ENFP의 장점으로 관심사가 다양하고 흥미 있는 일은 빠르게 배우며 의사소통에 뛰어나고 다른 사람의 열정에 불을 당기는 재능이 있습니다. 이러한 당신은 다른 사람들에게 긍정적인 영향을 줄 수 있는 일에서 만족을 찾는 경향이 있습니다. 그러므로 사람들에게 새롭고 독창적인 해결책을 찾도록 도와주는 일과 관련된 분야를 선택해 꾸준히 공부하면 좋을 것입니다.

내담자 소감문

제가 부족한 부분과 필요한 부분에 대해 명확하게 설명해 주셔서 좋았습니다. 특히 저는 제 성격의 단점에만 주목해서 왜 이렇게 일을 끝내지 못하고 무책임하게 행동할까 고민이 많았는데, 설명을 듣고 나니 저에 대한 이해가 좀 더 깊어졌습니다. 그리고 제 성격의 단점을 보완할 수 있는 방법도 알려주셔서 좋았습니다. 그동안 관심이 있는 분야에 무작정 도전해보는 경우가 많았는데 앞으로는 제가 끝까지 해낼 수 있는 분야인지 미리 계획해 보고 시작해 보려고 합니다. 또한 저와 마음이 맞는 동료들과 함께 일을 시작하고 끝까지 함께해 보면 좋을 것 같습니다. 또한 제가 유혹에 약한 부분이 있는데 왜 그런지를 알게 되었습니다.

상담 2) 학생회장이 답답한 나, 학생회 운영을 잘해나갈 수 있을까요?

상담 문의 내용

상담자: 추주연

저는 고등학교 2학년이고, 지난 9월 전교 학생회 부회장에 선출되었습니다. 학생회 운영을 좀 바꿔보고 싶고 축제나 행사도 학생회 중심으로 해보고 싶었거든요. 회장과는 1학년 때 같은 반이었고, 많이 친하진 않았지만 워낙 주변에 회장을 좋게 보는 아이들이 많았습니다. 회장이 먼저 러닝메이트 제안을 했고 제가 받아들여 함께 당선되었어요. 그런데 같이 일을 해보니 생각했던 것과 달리 일이 잘 추진되지 않는 것 같아 좀 답답합니다. 회장과 힘을 합쳐 학생회를 잘 운영할 수 있을까요?

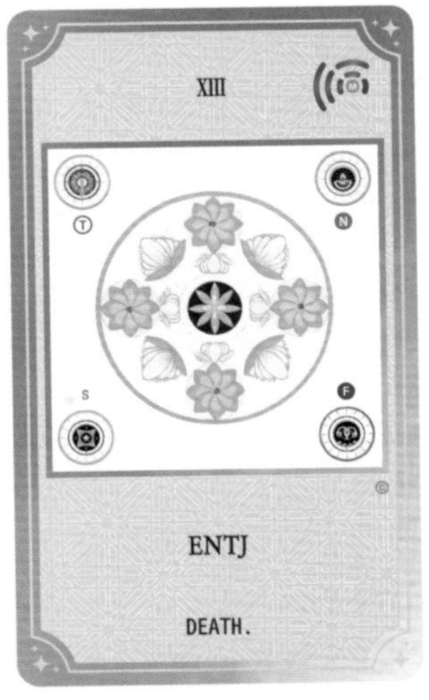

ENTJ(내담자)

INFP(회장)

상담 진행 내용

내담자는 ENTJ로 불의 성향 2, 물의 성향 1, 공기의 성향 3, 흙의 성향 0을 가지고 있습니다. 회장은 INFP로 불의 성향 2, 물의 성향 2, 공기의 성향 0, 흙의 성향 2를 가지고 있습니다. 내담자는 에너지 방향이 외부로 향하는 반면, 회장의 에너지는 내부를 향하는 쪽입니다. 회장은 내담자의 발산하는 에너지와 활력에 매료되어 러닝메이트 제안을 하지 않았을까 싶네요.

내담자는 일 추진에 있어 논리적인 의사결정으로 신속하게 진행하는 성향입니다. 그동안의 학생회와 학교 행사 운영에 대해 아쉬웠던 점들을 과감하게 개선해 나가고 싶은 의지가 클 듯합니다.

회장은 열정적이고 통찰력이 있으며 마음이 따뜻한 사람입니다. 공감하고 소통하는 능력이 뛰어나 사람들에게 신뢰를 받고 있겠네요.

회장 역시 내담자와 마찬가지로 학생회 운영을 개선하고 변화하려는 마음이 있습니다. 다만, 회장은 주변의 다양한 의견을 경청하며 신중하게 가능성 있는 변화를 시도하려는 성향이 강합니다. 일관성 있게 추진력을 발휘하고 속전속결의 행동력이 뛰어난 내담자는 회장의 모습이 답답해 보일 수 있겠습니다.

그런데 학생회 운영을 개선하는 과정은 한두 사람의 의견으로 이루어질 수는 없습니다. 또 그 과정에서 여러 사람의 마음이 불편하지 않도록 살피는 것이 중요합니다. 회장의 경청과 소통 역량은 변화의 과정을 함께 만들어가는 데 중요한 자원이기도 합니다.

두 사람의 강점을 잘 살리고 서로 부족한 면모를 보완해 나간다면 학생회의 긍정적인 변화가 가능하지 않을까요? 내담자의 의사결정력, 추진력이 회장의 신중함, 소통력과 조화롭게 발휘된다면 학생회 운영의 개선이 실현되리라 봅니다.

한편, 학생회 운영 기획 과정에 있어서 구체적이고 현실적인 방안을 수립하는 것은 회장과 부회장, 두 사람 모두 어려움을 느낄 수 있겠네요. 학생회 임원 중 사실과 데이터에 기반하여 구상할 수 있는 사람과 협력하여 진행하는 것이 필요해 보입니다.

학생회 부회장 역할을 수행하는 과정에서 나와 다른 사람을 이해하며 각기 다른 사람들이 모여 팀워크을 이루고 목표를 달성하는 의미 있는 경험을 하게 되길 바랍니다.

상담 3) 서로를 바라보며 인생 2막 설계의 기초를 다져요.

상담 문의 내용

상담자: 우수옥

32년을 함께 살아온 부부입니다. 나이는 남편이 한 살 위이지만 1개월의 차이로 동갑이라고 할 수 있습니다. 저는 교원이고, 남편은 회사원입니다. 지금까지 원만히 살아왔지만 앞으로 제2의 인생을 살 계획을 세워야 하는데 우리의 성격과 연관하여 삶의 지침으로 알아야 할 사항이 궁금합니다. 저는 MBTI 성격유형이 ISFJ이고, 남편은 ESFJ입니다.

1. MBTI 타로 기초 상담

ISFJ(내담자)

ESFJ(배우자)

상담 진행 내용

내담자는 ISFJ로 4원소 중에서 불이 없고, 물은 3개, 공기는 1개, 흙은 2개로 에너지 방향을 내부로 사용하는 'I'성향이 강합니다. 남편분은 ESFJ로 4원소 중에서 불이 1개, 물이 2개, 공기 2개, 흙은 1개로 에너지 방향을 외부로 사용하는 'E'의 성향이 강합니다.

이처럼 내담자는 에너지 방향을 내부로 사용하는 음의 성향이고, 남편분은 에너지 방향을 외부로 사용하는 양의 성향으로 매칭이 됩니다. 따라서, 두 분은 에너지를 사용하는 데 있어 균형과 조화를 잘 이룰 수도 있으나 크게 트러블이 있을 수도 있습니다.

두 분을 비교해 보면, 남편분보다 내담자가 물과 흙의 음의 에너지를 더 많이 소유하고 있어, 감정적 이해나 수용을 더 많이 하면서 현실적, 실질적으로 더 안정된 가정생활을 유지하며, 남편분은 불과 공기의 양의 에너지를 더 많이 소유하고 있어 생활의 활력과 생기를 불어넣어 줄 수 있습니다.

또한, 두 분은 4원소 중 물의 원소가 많은 성향으로, 감정적인 부분에 있어서 쉽게 영향을 받으며 주변의 사람들을 잘 이해하고 물심양면 도울 수도 있습니다. 두 분에게서 내담자는 공기 1개, 남편분은 공기 2개로 사고적인 부분에서는 평소 생각하고 방향을 잡아가는 것에서 남편분이 주도할 수 있습니다. 또, 흙의 요소에서 내담자는 흙 2개, 남편분은 흙 1개로 물질적이고 경제적인 부분에서는 내담자분이 남편분보다 더 신경을 쓰며 주도하고 있다고 할 수 있습니다.

평소 두 분이 안정된 가정생활을 해 오셨다는 것은 내담자분의 내부적인 방향으로의 에너지 사용과 남편분의 외부적인 방향으로의 에너지 사용이 균형과 조화를 잘 이루며 생활하셨다고 할 수 있습니다.

앞으로 두 분의 삶을 재설계하신다면 내담자분의 내부로 향하는 에너지와 남편분의 외부로 향하는 에너지를 생각하여 역할을 정하고, 서로 균형을 맞춰 주려고 노력하면 편안한 삶을 영위할 수 있습니다. 두 분의 감정적 마음이 잘 맞으니 남을 돕거나 봉사하는 일을 많이 하시면 성취감과 보람을 가질 수 있어 좋을 것이며, 물질적 투자나 경제적 활동, 재화 관리는 내담자분이 좀 더 적극적으로 주도해 가는 것이 좋을 것입니다.

실제의 생활 모습 (내담자 작성)

같은 학번으로 시대나 사회상 이야기에 공감을 하며 대화가 잘 통하여 결혼했습니다. 지난날을 되돌아보니, 20여 년을 부모님 모시고 아이들 키우며 정신없이 살았는데 남편은 회사일이 1순위였고, 가정의 모든 일은 거의 제가 이끌었었습니다. 그러나 남편은 토요일, 일요일에는 여행이나 외출을 계획하고 실행하여 제가 에너지를 충전할 수 있도록 해주어서 좋았었습니다. 가족이나 아는 사람들이 '힘든데 집에서 좀 쉬지 그렇게 밖으로 도느냐?'고 하였지만 때로는 부부, 때로는 아이들과 가족이 함께 나가는 것이 좋았습니다. 그중에 저와 남편이 사물과 민요 배우기, 민화 배우기, 운동 배우기 등 우리에게 알맞은 취미활동을 찾아 함께하고자 노력하기도 하였습니다.

그런데 저는 한 가지 한 가지 배우는 것에 열중한 반면, 남편은 모이는 사람들과의 만남을 즐겼던 것 같습니다. 만나서 밥 먹고 한잔하면서 수다 떠는 모임을 저는 싫은데 남편은 무척이나 좋아합니다. 모임 마치고 집에 오면 남편은 다른 사람들에게서 알게 된 내용이나 자신의 생각을 긴 시간 제게 말하고 표현합니다. 그래서 제가 짜증을 낼 때도 있었습니다. 지금도 남편은 여전하지만 제가 그러려니 하고 들어주고 봐줍니다.

경제권은 결혼하고부터 제가 쥐고 있습니다. 저와 남편의 월급을 모두 제가 관리하면서 투자하여 재산도 늘리고 살림살이를 계획하고 실행하였으며, 모두 제가 하면서 남편에게는 알려만 줍니다. 남편은 주머니에 돈이 있으면 후딱 써버리고, 없으면 안 쓰고 마는 사람입니다.

저는 배우기를 좋아하고 무엇인가 알게 되면 기쁨이 있는데 남편은 제가 무언가를 배우면 '무슨 영화를 보려고 하느냐?'고 핀잔을 주나 말리지는 않고, 남편은 여행, 낚시, 모임 등에 잘 참여하고 좋아하며 즐깁니다.

우리 부부는 둘이 뜻이 잘 맞습니다. '따로 또 같이' 살려고 합니다.

내담자 소감문

주변 사람들이 '우리 부부는 참 잘 맞는 것 같다'는 말을 해주었을 때 저는 제가 남편에게 잘 맞춰 주고 받아주어서 그렇다며 남편에게 유세를 부리기도 하였습니다. 그런데 MBTI 성격유형으로 보니 뚜렷이 드러나네요. 내부, 외부 다른 점도 있고, 감각, 감정, 판단 부분에서 같은 점도 있는 성격으로 우리 부부가 원만한 생활을 하는 바탕이었으며 우리 부부는 지금까지 각자의 성격대로 살아왔나 봅니다. 더구나 지나온 수십 년 삶의 세월이 명쾌하게 MBTI 성격유형과 딱 맞다는 점에서 놀랍습니다. 앞으로는 남편의 성격유형도 더 세세히 알고 이해하며 더 조화롭게 살아보도록 해야겠습니다.

"MBTI 타로카드 정말 매력적이에요~~"

2. MBTI 타로 중급 상담

ISFJ(내담자)

ESFJ(배우자)

추가 중급 상담 진행 내용

<1. MBTI 타로 기초 상담>에 중급 상담 진행 내용 추가

넘버	제목	MBTI성격유형	영문 제목	의미
5	조언	**ISFJ**	ADVISE.	**현명한 조언자**
3	풍요	**ESFJ**	ABUNDANT.	**풍요로운 여유**

주관이 뚜렷하고 보수적인 내담자와 열정적이고 풍요로운 여유를 즐기는 배우자이지만 만다라 타로카드를 활용하여 좀 더 살펴봅니다.

내담자는 수비학 5, 배우자는 수비학 3인데, 5는 불안정하며 고통을 동반한 변화를 의미하고, 3은 협력이나 확장, 불안감을 의미합니다. 그러므로 5와 3은 안정적이지 않고 확장이나 변화가 많습니다. 끊임없이 무언가를 향해 변화하는 양의 성향이 강하다고 할 수 있습니다.

따라서 내담자는 생활이나 일에 있어 변화를 추구하는 의지가 강하고, 배우자도 무언가 도전하고 확장하려는 의지가 강합니다.

카드의 제목과 의미를 살펴보면 내담자는 조언(ADVISE.), 현명한 조언자이고, 배우자는 풍요(ABUNDANT.), 풍요로운 성공적 만족입니다. 내담자는 구체적이고 치밀하며 지혜로운 반면, 배우자는 열정적이며 신속하고 인정과 감정에 민감합니다.

두 분이 서로 공감하고 협력하여 변화를 꾀한다면 시너지 효과가 클 것입니다.

---

3. MBTI 타로 고급 상담

넘버	제목	영문 제목	MBTI 제목	4기능			
				주	부	3차	열등
5	조언	ADVISE.	**ISFJ**	Si	Fe	T	Ne
3	풍요	ABUNDANT.	**ESFJ**	Fe	Si	N	Ti

ISFJ(내담자)

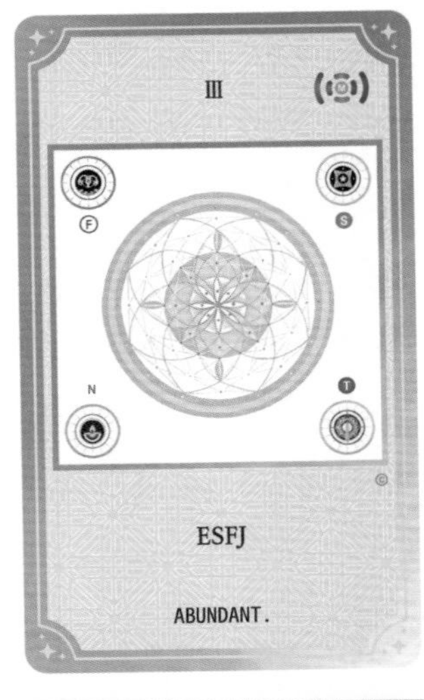

ESFJ(배우자)

추가 고급 상담 진행 내용

<2. MBTI 타로 중급 상담>에 고급 상담 진행 내용 추가

MBTI 제목	4기능			
	주	부	3차	열등
ISFJ	Si	Fe	T	Ne
ESFJ	Fe	Si	N	Ti

내담자 성격유형 ISFJ는 주기능이 Si, 부기능이 Fe, 3차 기능이 T, 열등 기능이 Ne입니다.

내담자의 주기능은 내향적 감각(Si)으로 세부적이고 치밀하며 정보를 잘 다루고 기억합니다. 외향적 감정(Fe)를 부기능으로 사용하여 친절하고 동정적이며 재치도 있고, 상대방을 진심으로 염려해 줍니다. 또한, 3차 기능은 사고(T)로 실용적인 판단과 노력하는 것에 대해 인정받는 것을 중시하나 사고의 개발이 필요합니다. 열등 기능인 N에 대한 신뢰나 의미를 부여하지 않으려 하는데 이는 감각에만 의존하게 되면서 세상에 대처하는 데 효율적이기 어렵게 됩니다.

ISFJ인 내담자는 실용적인 판단과 노력하는 것에 대해 인정받는 것을 중시하며 자신의 결정을 뒷받침해 줄 사실 수집에 관심이 많고 일에 있어 보수적이고 일관성을 중시합니다. 일을 처리할 때 현실감각을 가지고 실제적이고 조직적으로 수행합니다.

내담자는 다른 사람의 필요를 채워주고 봉사하는 것에 강한 욕구를 가졌으므로 이를 실행하고 만족감을 얻는 생활을 합니다. 다만, 좀 느긋해질 필요가 있으며, 주체성을 키우고, 관리자의 역할에 익숙할 수 있도록 노력해야 하며, 장기적인 안목으로 미래를 내다보고, 충분한 확신을 가지고 자신의 견해를 남들에게 말하도록 해야 합니다.

성실하고 온화하며 협조를 잘하는 내담자이나 자신의 감정을 해소하고 건강을 생각하여 일을 조절하는 것도 필요합니다.

배우자 성격유형 ESTJ는 주기능이 Fe, 부기능이 Si, 3차 기능이 N, 열등 기능이 Ti로, 실용적이고, 현실적이며, 실제적이고 물질적 소유를 즐기는 성향입니다.

ESFJ인 배우자는 주기능이 외향적 감정(Fe)로 사람들과 대화하는 것을 좋아하고 의사소통하는 것을 즐기며, 사람들과 상호활동을 하면서 에너지를 얻습니다. 일을 추진하는 과정에서 협력해야 하는 상황에 최적격이며 다른 사람들의 인정받음을 중요하게 생각합니다. 부기능이 Si인 배우자는 계획을 세울 때 잘 알려진 사실이나 개인적인 가치관에 바탕을 두므로 어떤 상황을 완전히 이해하기 전에 결론을 내리는 위험이 있습니다. 3차 기능이 N으로 추상적인 아이디어나 철저한 분석과 정확성이 필요한 업무에는 흥미를 갖지 못하며, 열등 기능이 Ti로 때로는 간결하고 정확하게 자기를 표현하고 의사 전달하려는 노력이 필요합니다.

친절과 현실감을 바탕으로 타인에게 봉사하는 친선 도모형 배우자이나 공과 사를 구별하고, 기대하는 만큼 받지 못하는 것도 받아들여야 합니다. 또한, 타인에게 정말 필요한 것과 무엇을 원하는지 진지하게 들을 필요가 있으며, 일이나 사람들과 관련된 문제에 대해 냉철한 입장 취하는 것을 어려워하는데, 반대 의견에 부딪혔을 때, 자신의 요구가 거절당했을 때 지나치게 개인적으로 받아들여 마음의 상처를 쉽게 받는 경향이 있으므로 객관성을 키울 필요가 있습니다.

내담자와 배우자는 MBTI 성격유형으로 보아 가정생활에 있어 내담자는 가정을 소중히 여기고 보전해야 하는 중요한 울타리로 생각하며, 배우자도 가정에서 해야 할 책임을 성실하게 수행하고, 가정 규율을 잘 지키며 사교적이고 접대하기를 즐기나 가족 구성원이 잘못한 것이 있는 경우 비판하고 잔소리를 많이 합니다. 서로의 성격을 이해하고, 다름을 인정하며, 장점들을 공유하고 교류하면 원만한 가정을 잘 꾸려갈 수 있습니다.

상담 4) 의견충돌이 많은 아들! 어떻게 해야 잘 지낼 수 있을까요?

상담 문의 내용

상담자: 장선순

저는 요즘 대학생이 된 아들과 의견 충돌이 잦은 53세의 교사입니다. 아들과 대화하다 보면 또 의견충돌로 대화한 것에 대해 후회를 하게 됩니다. 어릴 때는 엄마 말도 잘 듣고 무엇이든 열심히 하던 아들이었는데, 대학생 이후 자기주장도 강하고 부모의 말에 너무 강하게 부정하는 경우가 많아 속상합니다. 우리는 앞으로 어떻게 해야 의견충돌이 나지 않고 살아갈 수 있을까요? 우리의 성격과 연관하여 엄마인 내가 어떻게 하는 것이 좋을지 궁금합니다. 저는 MBTI가 ENFJ이고, 아들도 ENFJ입니다.

1. MBTI 타로 기초 상담

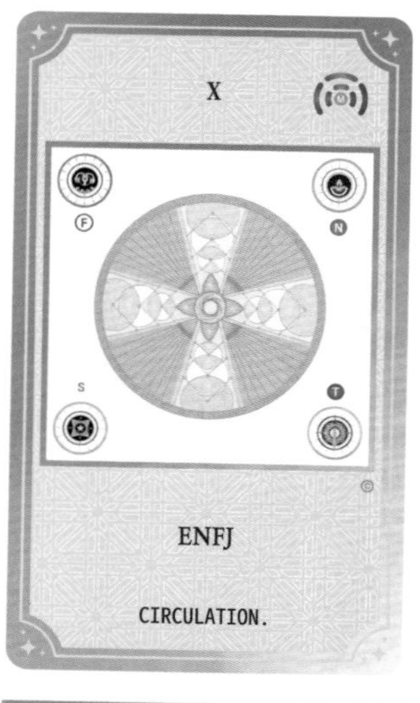

ENFJ(내담자)

ENFJ(아들)

상담 진행 내용

내담자는 ENFJ로 4원소 중에서 불이 2, 물은 2, 공기는 2, 흙은 0으로 에너지 방향을 외부로 사용하는 E 성향이 강하다고 할 수 있습니다. 아들 또한 같은 유형이다 보니 엄마와 같은 성향을 가지고 있다고 볼 수 있습니다. 불과 물, 공기가 2이다 보니 3보다는 적지만 그래도 불과 물, 공기의 성향이 강하다고 할 수 있으며 "불은 행동, 모험, 에너지, 투쟁을 상징하고 불이 강한 유형의 사람은 창조적이며 열정적이고 다혈질적이며 직관적이라고 할 수 있습니다. 물의 성향은 감정, 사랑, 관계를 의미하며 공기의 성향은 이성, 논리, 판단, 지성을 의미하고 흙의 성향은 돈, 경제, 물질, 현실, 재능을 의미합니다. 이 유형은 신념이 강하고 의사소통에 뛰어나며 사람 관리에 뛰어나지만 냉정하지 못합니다. 단순 반복 작업은 싫어하고 새로운 패턴을 구상하지만 감정에 이끌려 행동으로 실행하고 일관성 있게 추진력을 발휘하며 복잡한 것에 도전하는 것도 좋아합니다.

내담자는 일 추진에 있어 논리적인 의사결정으로 신속하게 진행하는 성향입니다.

또한, 선생님도 그러하고 아들도 모두 에너지 방향을 외부로 사용하는 양의 성향으로 매칭이 되다 보니 에너지를 사용하는 활동적인 생활에서 더 활력을 얻을 수 있습니다.

아들도 엄마도 불, 공기의 양의 에너지를 더 많이 소유하고 있어 단순 반복적인 작업은 싫어하고 활동적인 생활을 더 좋아하고 복잡한 것에 도전하는 것도 좋아합니다.

하지만 두 분이 같은 성향이다 보니 자기가 생각하고 있는 것이 옳다고 생각하며 일관성 있게 추진하는 성향을 보이다 보니 자기주장이 강한 면이 있을 것입니다.

하지만 선생님과 아들은 모두 공기가 2로 사고적인 부분에서는 평소 생각하고 토론하는 것을 좋아하고 생각이 일치하면 서로 잘 통하는 일도 많이 있을 것입니다.

물의 요소도 2로 서로를 이해해 주는 배려심과 남의 마음을 생각하는 공감 능력도 갖추고 있으나 감정에 이끌려 행동으로 실행하는 경우가 있으므로 행동으로 실행할 때는 한 번 더 생각해도 실행했으면 좋겠습니다.

아들하고의 관계는 '아들이 나다'라고 생각하고 아들의 주장을 한 번 더 생각해 보고 너무 격한 상황까지 가지 않도록 조금만 신경 쓰면 될 듯합니다. 서로 눈물이 많고 다투고 난 다음에는 후회하게 되므로 조금 냉정해야 할 때는 냉정함을 보여주시면 좋은 결과가 나올 것 같습니다. 군대에 가는 아들에게 이제는 내 주장을 조금 내려놓고 장점을 이야기해 주고, 하고자 계획하는 그것에 칭찬해 준다면 아들도 좋아할 것 같고 신념이 강하고 사람 관리에 뛰어난 아들은 멋진 군대 생활을 하고 돌아올 수 있을 것 같습니다. 선생님의 일관성 있는 추진력도 대단하지만, 아들의 의지도 대단하니 아들과 좋은 관계로 열매를 맺기를 바랍니다.

내담자 소감문

저는 MBTI 타로에서 이런 4원소에 관한 이야기가 나올 줄은 정말 몰랐습니다. 우리의 생활이 그대로 드러나 있어서 정말 깜짝 놀랐습니다. 우리 아들과 싸울 수밖에 없었던 이유를 듣고 나니 이제는 서로가 조금 도움도 되는 듯하고, 앞으로 제가 어떻게 해야 할지를 알아서 너무 좋았습니다. 아들을 이해하기 위해서는 나의 성격을 잘 파악하면 될 것 같습니다. MBTI 타로 정말 대박입니다. 우리 주변과 방송에 그렇게 많이 사용되었던 MBTI가 이렇게 카드로 나오다니 정말 대단한 것 같습니다. 앞으로 종종 상담 부탁드립니다.

2. MBTI 타로 중급 상담

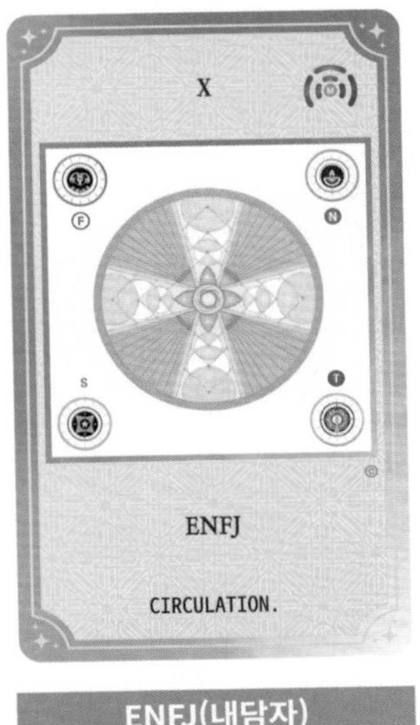

ENFJ(내담자)

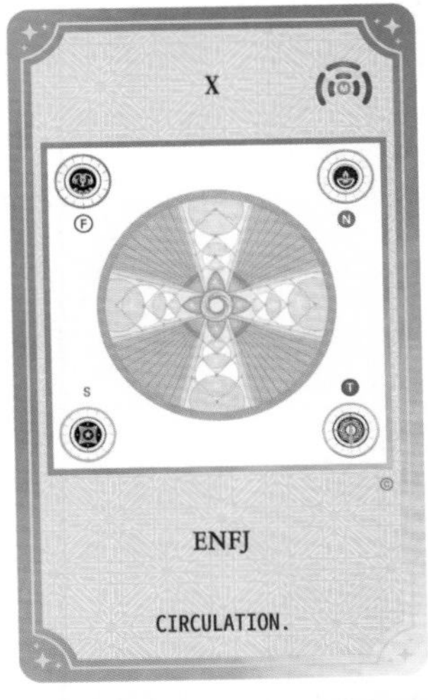

ENFJ(아들)

추가 중급 상담 진행 내용

넘버	제목	영문 제목	의미
10	순환	CIRCULATION.	**운명적인 순환**

내담자와 아들의 만다라 타로카드를 활용한 추가 상담은 수비학, 제목과 의미, 이미지 및 상징 등만으로도 간단히 섬세한 의미를 추가할 수 있습니다.

먼저 전체적인 수비학적 흐름을 파악해 보면 내담자와 아들은 수비학으로 따져 보았을 때 10입니다. 10은 완전한 끝, 또 다른 시작을 의미합니다. 10은 모든 과정을 거친 후의 완성, 성숙함, 숙달, 경험을 나타내는 수입니다. 10이라는 숫자는 뿌린 대로 거둔다는 인과응보의 뜻도 있습니다. 과거를 청산하고 완성과 재생을 통한 새로운 시작이 진행되는 수이면서 새로운 시작을 위해서는 용기와 독립심 강한 자기 확신이 필요합니다.

제목과 의미를 살펴보면, 내담자의 만다라 타로 카드는 순환(CIRCULATION.)이라는 제목을 가지고 있고 의미하는 것은 운명적인 순환, 또는 터닝 포인트를 나타냅니다. 항상 새로운 패턴을 나타내고 과거가 부정이어도 터닝포인트로 긍정으로 전환될 수 있는 좋은 기회가 됩니다. 이미지나 상징적인 면을 살펴보면, 내담자나 아들은 항상 신속하고 확신에 차 있으며 탁월한 의사소통 능력을 소유하고 있으며 감정에 이끌려 행동으로 실행하는 때도 있습니다. 두 사람의 상황에서 자기주장이 분명한 아들을 조금만 이해하고 칭찬해 준다면 더욱 발전적인 관계로 전환될 수 있을 것 같습니다.

3. MBTI 타로 고급 상담

넘버	제목	영문 제목	MBTI 제목	4방향			
				주	부	3차	열등
10	순환	CIRCULATION.	**ENFJ**	Fe	Ni	S	Ti

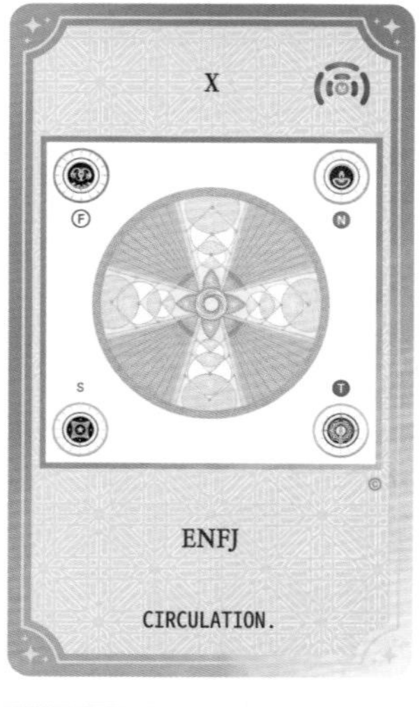

ENFJ(내담자)

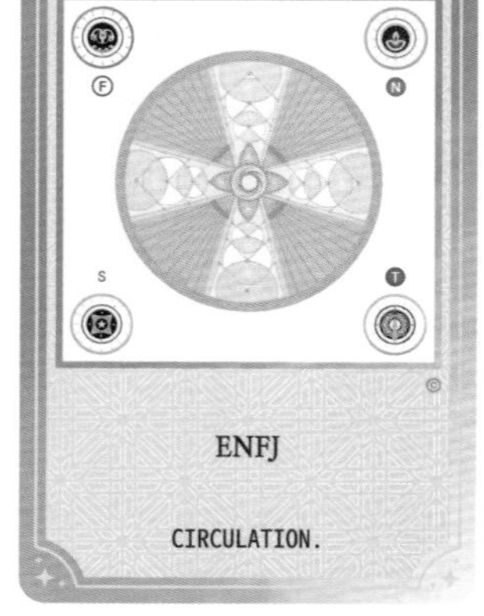

ENFJ(아들)

추가 고급 상담 진행 내용

내담자와 아들은 둘 다 ENFJ로 주기능이 Fe, 부 기능이 Ni, 3차 기능이 S, 열등 기능이 Ti입니다. 즉, ENFJ인 내담자의 주기능은 외향적 감정(Fe)으로 감정에 이끌려 행동으로 실행하며 신속하고 모든 일을 진행할 때 확신에 차서 눈에 띄게 열심히 하는 솔선수범형 지도자 유형이며 내향적 직관(Ni)를 부기능으로, 열정적 통찰적인 유형으로 의사소통이 뛰어나고 사람 관리에 뛰어나다고 할 수 있습니다.

또한, 3차 기능은 감각(S)으로 조금은 구체적이고 현실적으로 생각할 수 있어야 하며, 내향적 사고(Ti)를 열등기능으로 사용하고 있으며 분석하고 논리적인 분석이 조금 부족한 편입니다. 직관 (Ni)가 부기능인 외향적 감정형은 감정을 외부로 사용하기 때문에 신념이 강하고 의사소통이 뛰어나고 사람 관리도 잘하지만 냉정하지 못한 경우가 있습니다.

ENFJ 내담자와 아들은 따뜻하고 다른 사람들의 이야기를 듣고 감정이입을 잘하며 반응을 잘하고 책임감이 있습니다. 다른 사람들의 정서, 욕구 그리고 동기에 높은 관심을 가지고 있습니다. 모든 사람의 잠재성을 찾는 동시에 그것들을 실현할 수 있도록 도와줍니다. 개인과 집단의 성장을 위한 촉매 역할을 하고 한번 믿으면 충성스럽지만 칭찬과 비판에 민감합니다. 집단 안에서 다른 사람들과의 상호작용을 촉진하며 사교적인 편이며 사람들을 설득하는 리더쉽을 발휘합니다.

상담 5) 나와 모든 것이 정반대인 언니, 잘 지낼 수 있을까요?

상담 문의 내용

상담자: 김은미

저는 언니랑 늘 다툼이 생겨납니다. 언니랑 잘 지내고 싶은 생각은 없지만 그래도 싸우지는 않고 지내고 싶어요. 어떻게 하면 좋을까요?

ESTJ(언니)

상담 진행 내용

내담자는 INFP로 불의 성향 2, 물의 성향 2, 공기의 성향 0, 흙의 성향 2를 가지고 있습니다. 불의 성향은 행동, 모험, 에너지를 상징하며 물의 성향은 감정, 사랑, 관계를 의미하며 공기의 성향은 이성, 논리, 판단, 지성을 의미하고 흙의 성향은 돈, 경제, 물질, 현실, 재능을 의미합니다. 내담자분은 불, 물, 공기, 흙의 성향을 고르게 가지고 있으나 공기의 성향이 없어 공기와 관련된 이성, 논리, 판단, 지성 쪽은 약할 수 있습니다.

내담자분은 주기능이 내향적 감정기능으로 자신의 감정 및 가치를 중요시하며 특히 사람들과의 관계에서 진정성을 중요하게 생각합니다. 언뜻 보기에 조용하고 유순해 보이지만, 자신이 추구하는 신념이나 가치를 지켜나가는 부분에 있어서는 양보하지 않는 고집스러운 모습도 보여줍니다. 이해심 많고 관대하며 따뜻한 마음을 가졌지만 상대를 잘 알 때까지 겉으로 잘 표현하지는 않습니다.

내담자의 언니는 ESTJ로 불의 성향 1, 물의 성향 1, 공기의 성향 3, 흙의 성향 1을 가지고 있습니다. 불, 물, 흙의 성향은 약할 수 있으나 공기 성향이 3으로 공기와 관련된 이성, 논리, 판단 쪽이 발달되었습니다.

ESTJ의 주기능은 외향적 사고기능입니다. 사고를 통해 주어진 문제를 추진력 있게 해결합니다. 논리적 구조를 파악하는 데 타고난 재능이 있고 분명한 규칙과 규범을 중요하게 생각합니다. 어떤 계획이나 결정을 내릴 때 확고한 사실에 바탕을 두려 합니다. 실제적이고 현실적이어서 미래의 일보다 지금 필요한 일들을 해나갑니다.

내담자는 음의 에너지로 방향이 내부로 향하는 내향성인 반면, 언니는 양의 에너지로 외부를 향하는 외향성입니다.

내담자분과 언니분의 가장 큰 차이는 바로 '공기' 성향입니다. 내담자분은 공기 성향이 0이다 보니 일을 시작하면 마무리가 잘 안될 수 있고 자신의 아이디어들을 이성적이고 논리적으로 펼치는 것이 약할 수 있습니다. 언니분은 공기 성향이 3이고 열등기능이 내향적 감각기능입니다. 이성과 논리로 사람들을 대하고 실제적인 걸 중요시하여 과업 지향적입니다. 타인의 감정이나 정서를 잘 알지 못하고 과업을 중요하게 생각하여 업무 위주로 대하고 감정표현도 서툴고 말도 조금 세게 할 수 있습니다. 감정을 중요하게 생각하는 내담자분과는 정말 극과 극의 유형이라 대화할 때마다 뭔가 맞지 않고 부딪힌다고 느껴지실 겁니다. 내담자분 입장에서는 감정적 위로가 필요하다고 생각하는데, 팩트로만 말하니 상처가 더 되었을 거고요. 게다가 내담자분은 I 성향으로 자신의 감정을 바로바로 표현하기보다는 스스로 감정이나 말들이 정리되고 나서야 표현이 쉽습니다. 그러다 보니 생각하고 정리할 시간이 필요하고요. 하지만 언니분은 E 성향으로 자신을 잘 표현하고 행동부터 하고 생각하는 외향형이면서 감정에는 서툴다 보니 표현이 부드럽기보다 갑자기 터트리는 식으로 표현하게 됩니다.

ESTJ는 추상적인 말이나 감정적인 접근은 잘 받아들이지 못합니다. 이 유형과 이야기를 할 때는 사실 위주, 정보 위주로 이야기를 시작해야 합니다. 언니분은 그저 있는 사실이니 그 정보를 전달할 뿐이구나 하는 인식으로 대하는 것이 필요합니다. 언니분이 길러 나가야 할 것이 타인의 감정이나 정서를 배려하는 부분이기도 하니까요.

내담자분은 감정을 중요하게 생각하다 보니 다른 이의 감정마저 살피고 다른 사람의 마음까지 챙기려고 합니다. 그러다 보면 상처받을 일들이 더 생겨나기도 하고요. 정서적인 이야기들을 주고받는 게 편한 사람이 있고 사실적인 이야기들을 주고받는 게 편한 사람이 있어요. 서로가 중요하게 생각하는 영역이 다르고 편하게 다루고 잘 표현하는 영역이 다른 것뿐이니까요. 언니와는 이성적이고 논리적인 부분에서 이야기하고 도움받을 수 있을지도 모릅니다. 언니의 감정적으로 서툰 부분을 오히려 내담자분이 도움을 줄 수도 있는 거고요. 서로의 다름을 이해하는 것에서 시작해 나가기를 바랍니다. 나랑 너무 달라서 오히려 더 좋은 관계가 될 수 있지 않을까요?

상담 6) 나와 달라도 너무 다른 아들, 어떻게 해야 할까요?

상담 문의 내용

상담자: 소난영

며칠 전 학교에서 전화가 왔습니다. 작은아들이 학교의 규범을 어겨 소선도 위원회가 열리게 되었으니 학교에 오라는 내용이었습니다. 수업시간에 휴대폰을 끄지 않거나 휴대폰으로 몰래 게임을 하다 걸려 선생님들께 여러 번 주의를 들었다고 합니다. 선생님들의 말씀을 무시하고 계속 사용하다가 3번째 걸려 소선도 위원회가 열리게 되었다는 설명과 함께 휴대폰 문제만 아니면 대체로 학교생활을 잘하고 있다는 내용이었습니다. 교우 관계도 좋고 선생님들과 친밀하다고 하는데 집에서는 아이가 물건을 던지거나 소리를 지를 때도 있습니다. 작은아들은 모범생이었던 큰아들과 달리 반항적이고 거칠며, 학생으로서 지켜야 할 규범과 규칙, 질서 등을 무시하고 잘 지키지 않는 것 같습니다.

저는 학생이면 학교의 규범과 규칙, 질서 등을 잘 지키고, 선생님의 말씀에 순종해야 한다고 생각하는 사람인데 작은아들은 다른 사람에게 피해를 주지만 않으면 약간의 일탈은 괜찮다는 식입니다. 작은아들의 생각이나 말을 이해하려고 해도 이해가 가지 않습니다. 작은아들의 이런 행동이나 말투 때문에 화가 나 아들을 때린 적도 있습니다. 지금은 저보다 덩치가 커져서 제어하기 힘들고 제 말을 듣지 않으며 무시합니다. 그나마 아빠를 무서워해서 아빠가 말을 하면 듣는 척은 합니다.

최근에 작은아들의 가방에서 담배를 발견했습니다. 학교에서 피우다 걸릴 것 같아 마음이 조마조마합니다. 남편한테 작은아들이 담배를 피우는 것 같다고 말하자 남편이 화를 내며 작은아들 방으로 가서 다짜고짜 아이에게 손찌검을 해서 저를 당황하게 만들었습니다. 집안이 하루도 조용할 날이 없고 매일이 살얼음판을 걷는 듯합니다. 학교 공부는 뒷전이고 매일 친구들과 만나 늦은 시간까지 밖에서 놀다가 새벽에나 들어옵니다. 늦게 들어오는 것에 대해 잔소리를 하고 질 나쁜 친구들과 어울리지 말라고 하면 소리지르고 물건을 던집니다. 그때는 작은아들이 무섭고 두려운 생각이 듭니다. 작은아들 때문에 힘들고 스트레스가 너무 심합니다. 작은아들과 잘 지내고 싶은데 갈등을 어떻게 해야 풀 수 있을까요?(40대 후반의 주부)

....

*** 내담자 정보: 가정주부, 40대 후반, ISTJ, 내적인 성장과 가족의 유대관계를 중요시함**

작은아들: 학생, 중학교 3학년(16살)**, 학교에서는 인기가 높고 선생님과 친구들과 사이가 좋으나 가족들과는 잦은 마찰과 갈등을 빚음.**

*** 주 호소 문제: 작은아들과 잦은 다툼과 갈등으로 집이 조용할 날이 없어 힘들다.**

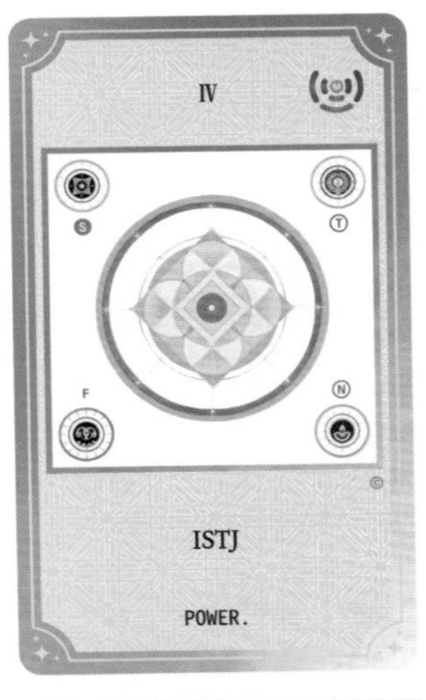

ISTJ(내담자: 엄마)

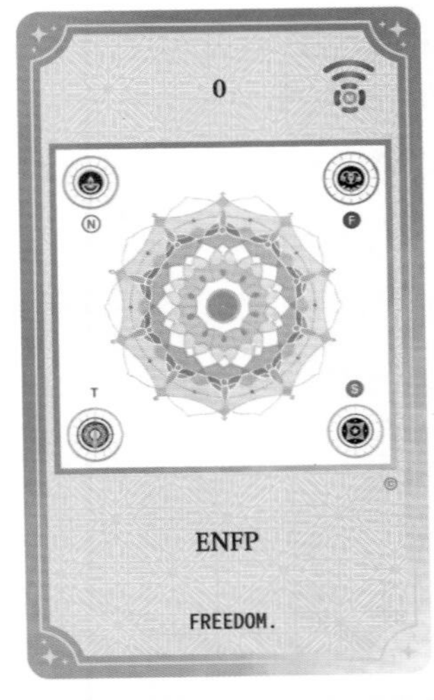

ENFP(작은아들)

상담 진행 내용

내담자와 내담자의 남편은 ISTJ로 4원소 중에서 불이 0, 물은 2, 공기는 2, 흙은 2로 에너지 방향을 내부로 사용하는 I 성향이 강한 편이며, 큰아들은 ESTJ로 불 1, 물 1, 공기 3, 흙 1, 작은아들은 ENFP로 4원소 중에서 불이 3, 물은 1, 공기는 1, 흙은 1로 에너지 방향을 외부로 사용하는 E의 성향이 강합니다. 불의 성향은 행동, 모험, 에너지, 투쟁을 상징하며, 물의 성향은 감정, 사랑, 관계를, 공기의 성향은 이성, 논리, 판단, 지성을 의미합니다. 그리고 흙의 성향은 돈, 경제, 물질, 현실, 재능을 뜻합니다.

내담자님과 남편, 큰아들은 STJ 성향이 같습니다. 큰아들은 작은아들처럼 에너지의 방향을 외부에서 찾으려 하기 때문에 집에 있는 시간보다 밖에서 시간을 더 많이 보냅니다. 내담자님과 남편은 불의 원소가 하나도 없습니다. 이는 행동보다는 생각이 더 많고 감정적이며 관계 지향적입니다. 또한 현실적이고 경제 관념이 중요한 유형이죠. 그리고 STJ는 실제 사실에 대하여 정확하고 체계적으로 기억하며 일 처리에 있어서도 신중하며 책임감이 강합니다. 집중력이 강한 현실감각을 지녔으며 조직적이고 침착합니다. 그리고 정해진 규칙을 준수하고 "할 일" 목록을 따르는 것을 좋아하는 유형입니다.

큰아들은 에너지의 방향이 외부로 흐르기 때문에 집에 있기보다 밖에서 일하는 것을 더 선호할 것입니다. 그러나 STJ 성향 때문에 자신의 할 일을 잘하고 지켜야 할 규칙과 해야 될 것들을 잘하는 유형이어서 부모님과 부딪치지 않습니다. 반면 작은아들은 에너지의 방향이 외부로 흐르며 불의 에너지인 양을 많이 소유하고 있어 잠시도 가만히 있지 못합니다. 머리로 생각하기보다 행동이 먼저 나가고 집보다는 외부 활동에서 즐거움을 찾습니다. 또래들과 어울리는 것을 좋아하고 관계를 중요시 여깁니다. 그렇다고 감정에 치우치지도 않으며, 생각을 안 하는 것도 아닙니다. 또한 현실적이며 재능이 있습니다. 즉, 작은아들은 다른 가족들에 비해 불의 에너지가 강해 생각보다 행동이 먼저 나가고, 온정적이어서 불쌍한 사람들을 보면 그냥 지나치지 못하며, 사람들을 잘 다루고 뛰어난 통찰력으로 도움을 줍니다. 문제 해결에 재빠르고 관심이 있는 일은 무엇이든지 수행해 내는 능력과 열성이 있으나 반복되는 일상적인 일을 참지 못합니다.

내담자님의 작은아들은 성향이 달라도 너무 다른 가족들에게 이해받고 싶었을지도 모릅니다. 다른 가족들은 성향이 비슷하니 잘 지내는 것처럼 보이고 자신만 미운 오리 새끼처럼 어디에도 끼지 못해 힘들었을지도 모릅니다. 불의 에너지가 3개나 있으니 집에만 있는 것이 많이 힘들었을 것입니다. 그래서 밖으로 자꾸 나가게 되고 사람들을 좋아해 친구들과 어울리고 함께하는 것이 더 즐겁고 좋지 않았을까 생각됩니다. 친구들은 나와 비슷한 유형이 모이기 때문에 이해받는 느낌도 들었을 것입니다. 집에 들어가면 나는 외톨이고 잔소리만 듣게 되니 자존감도 떨어지고 자신이 없다면 다른 가족들은 행복하지 않을까 하고 생각하지는 않았을까요? 작은아들은 내담자님이 생각하시는 것만큼 문제성이 있거나 생각이 없는 사람이 아닌 것 같습니다.

내담자님의 성향과 정반대의 성향을 많이 갖고 있어서 작은아들에 대한 이해와 수용이 중요합니다. 작은아들의 결과만을 보고 판단한다면 내담자님이 생각하는 대로 아들은 그런 사람이 되는 것입니다. '낙인효과'라는 말이 있습니다. 이 말의 의미는 '상대로부터 무시나 치욕 등 부정적인 영향을 받은 당사자가 점차 그 부정적인 모습으로 변해가는 현상'을 의미합니다. 즉, 작은아들의 단점, 부정적인 면만을 부각시키고 야단치고 단정 짓는다면 그렇게 변한다는 뜻입니다. 그러므로 내담자님은 나와 너무도 다른 타인이 아닌 내담자님의 소중한 아들이므로 생각의 전환이 필요합니다. 집에서 이해받지 못하고 낙오자 취급을 받는다면 누구라도 집에서의 생활이 즐겁지 않을 것입니다.

작은아들이 학교에서 문제아가 아닌 '인사이더'라는 측면을 놓고 보더라도 학교생활을 잘하고 있고, 즐겁게 생활하고 있음을 반증하는 것이라고 생각됩니다. 그러므로 작은아들의 성향을 이해하고 수용하며 인정해준다면 갈등 관계에서 벗어나 가정의 문제아가 아닌 사랑스럽고 착한 아들로 변화될 것입니다.

실제의 생활 모습 (내담자 작성)

저는 늘 완벽을 향해 살아왔던 것 같습니다. 늘 착한 딸이자 아내, 엄마가 되려고 끊임없이 노력했습니다. 나 자신이 흐트러지고 정해놓은 규칙에서 벗어나는 걸 용납하지 않았던 것 같습니다. 남편도 저와 같은 유형이어서 부딪힘이 거의 없었습니다. 큰아들과도 큰소리 낸 적이 없었습니다. 자신의 일을 알아서 잘했기 때문에 간섭이나 잔소리를 할 필요가 없었던 것 같습니다. 작은아들은 어린 시절부터 친구들을 더 좋아하고, 마음이 여려 친구들에게 새로 사준 옷이나 신발을 벗어주고 오는 경우도 있어서 남편이 야단치고 다시 찾아오는 경우도 종종 있었습니다. 집에 있기보다 밖에서 생활하는 경우가 더 많았고, 집에 들어오지 않고 친구 집에서 자고 들어오는 경우도 많아 부딪힘이 되었던 것 같습니다.

사춘기에 접어들면서 더 밖으로만 돌고 공부는 늘 뒷전이니 성적은 바닥권입니다. 학창 시절에 남편과 저, 큰아들 모두 성적이 상위권이었기 때문에 작은아들을 도저히 이해하기 힘들어 작은아들의 행동을 무조건 잘못되었다고 생각하였던 것 같습니다. 저는 제가 옳다고 생각하는 틀에 벗어난 적이 없으며, 부모님이나 학교에서 정해놓은 규칙을 잘 따르고 생활했기 때문에 작은아들을 이해하지 못했습니다. 친구들을 가족보다 더 좋아하고 그 아이들과 함께하는 시간이 더 많은 아들을 어떻게 이해할 수 있었겠습니까? 저나 남편, 큰아들이 작은아들을 달래고 협박해봐도 작은아들은 친구들이 부르면 밤늦게라도 나갑니다. 아직 어린 나이인데도 새벽까지 어디서 돌아다니다가 집에 어슬렁거리고 들어오는 모습을 보면 견디기 힘들었습니다. 제가 정해놓은 틀을 깨기란 쉽지 않았던 것 같습니다.

내담자 소감문

저는 아들을 대하는 것이 너무 힘들었습니다. 아들을 이해하려고 노력도 해보았지만 이해가 되지 않고 큰아들과 비교하기 바빴던 것 같습니다. 큰아들은 'ESTJ'로 자기 할 일을 잘하고 신경을 쓰지 않아도 될 정도로 쉽게 키운 아들이었습니다. 공부도 잘하고 친구들과의 관계도 좋고 부모와의 관계도 좋았습니다. 그런데 작은아들은 왜 그런지 부유물처럼 겉돌고 힘들게 했습니다. 어린 시절부터 밖으로만 돌고 집에 잘 있으려 하지 않았습니다. 달라도 너무 다른 작은아들을 이해하기란 쉽지 않았던 것 같습니다. 그러나 MBTI 상담을 받기 시작하면서 작은아들이 조금씩 이해되기 시작했습니다. 작은아들의 외로웠을 마음을 생각하니 마음이 아프고 이해하기보다 다른 아이들과 비교하고 야단치고 비난의 말만 일삼았던 것이 후회가 됩니다.

저도 엄마에 대한 상처가 많았던 사람이었습니다. 약했던 아버지 대신 생활전선에 뛰어들었던 엄마는 무뚝뚝하고 말이 없었던 분이었습니다. 칭찬하거나 따뜻한 말이 없었기에 엄마에 대한 애정을 필요로 하는 나이부터 성인이 될 때까지 엄마에게 투정을 부린 적이 없고, 엄마의 눈 밖에 날까봐 언제나 노심초사했던 것 같습니다. 어린시절부터 내일은 내가 알아서 했기 때문에 그렇지 못한 작은아들을 이해하기 힘들었던 것 같습니다. 나보다 훨씬 좋은 환경에 경제적으로 넉넉한데도 집에 있지 못하고 밖으로만 도는 작은아들을 보고 있노라면 짜증이 나고 화가 났던 것 같습니다. 작은아들을 내 시각으로 보고 평가했던 것이 아니었나 생각됩니다. 그 아이를 진정으로 마음으로 품고 이해하고 수용해 주었어야 했는데 내가 정해놓은 틀에서 벗어났다고 문제아 취급하고 낙인을 찍었던 것 같아 마음이 아픕니다. 내가 보고 싶은 것만 보고 듣고 싶은 것만 들으려 했기 때문인 것 같습니다. 이제라도 작은아들에게 나의 잘못을 사과하고 그 아이의 성향을 이해하고 수용하려고 노력해야 될 것 같습니다. 상담 선생님이 말씀하신 차이와 다름이지 옳고 그름, 틀리고 맞고가 아니라는 것을 이제는 이해합니다. 너무 좋은 시간이었던 것 같습니다. 특히 일반적인 MBTI 상담이 아닌 4원소를 중심으로 풀이해 주신 것이 기억에 많이 남습니다. 감사하다는 말을 전하고 싶습니다.

상담 7) 쌍둥이 자매, 달라도 너무 달라요.

상담 문의 내용

상담자: 박소현

저는 올해 20살 된 이란성 쌍둥이 자매를 두고 있습니다. 쌍둥이다 보니 생일(2004.4.2)로 보는 타로 성격카드는 3번 여황으로 동일합니다. 하지만 둘은 확연히 다른 성격을 가지고 있습니다. 실제 MBTI도 첫째는 ESFJ이며, 둘째는 정반대의 INTP입니다. 둘의 성향을 제대로 알고 도움을 받고 싶어 상담을 신청합니다.(40대 후반 여성)

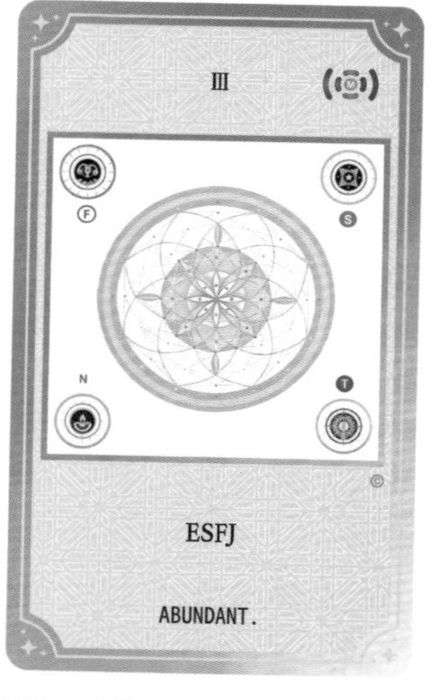

INTP(둘째)

상담 진행 내용

첫째 자녀는 ESFJ로 4원소 중에서 불 1개, 물 2개, 공기 2개, 흙 1개로 에너지 방향을 외부로 사용하는 'E'의 성향이 강합니다. 둘째 자녀는

INTP로 4원소 중에서 불 2개, 물 1개, 공기 1개, 흙 2개로 에너지 방향을 내부로 사용하는 'I'의 성향이 강합니다.

타로 성격카드가 3번 여황으로 동일하지만 1명은 외향, 1명은 내향으로 에너지의 방향을 각기 다르게 사용하고 있습니다. 첫째는 활동적인 사회생활에서 더 활력을 얻을 것이며, 둘째는 개인적인 시간을 보냄으로써 에너지를 충전하여 활력을 얻는 방법을 선호합니다.

첫째 아이는 적당한 열정과 공감 능력, 이성과 현실감각을 골고루 가지고 있으며, ESFJ의 주기능인 '외향 감정형'답게 물이 2개로 감정기능이 높고 사고기능이 상대적으로 약한 열등기능이 됩니다. 그렇지만 4원소에서 공기가 2개로 열등기능을 잘 보완하고 있습니다. ESFJ는 MBTI 타로카드의 여황과 매칭이 되므로 성격카드로 보는 성향과 MBTI 성향과 MBTI 타로카드 성향 3가지가 모두 동일한 것을 알 수 있습니다. 사람들을 좋아하고 사교적이며 친절하고 타인을 돌보고 어려운 사람들을 돕기를 좋아하는 성향을 가지고 있어 주변에 늘 사람들과 함께하고 친구가 많은 유형입니다.

둘째 아이도 4원소를 골고루 적당히 가지고 있습니다. 우선, 내향형이지만 불이 2개로 하고 싶은 일에는 열정을 가지고 미래 비전을 중시하며 과정을 즐기는 성향입니다. 흙이 2개로 현실적이며 실질적인 결과를 내기 위해 인내하고 노력하는 면이 장점이라 할 수 있습니다. 타로 성격카드는 언니와 같은 여황이지만 INTP에 매칭된 MBTI 타로카드는 '매달린 사람'입니다. 매달린 사람 카드가 주기능 '내향 사고형'을 쓰는 INTP와 잘 매칭이 됩니다. 반면 열등기능은 감정기능이 되는데, 4원소에서도 물이 1개로 언니보다 작아 상대적으로 더 냉정하고 이성적입니다. 또한 남들과 다른 관점에서 날카롭게 분석하고 깊은 사고에서 나오는 뛰어난 전략가의 성향을 가집니다. 하지만 매달린 사람 카드는 영혼 카드로 여황의 성향을 가지므로 내면에 여황의 성향인 따뜻하고 남을 잘 돌보고 케어하는 면을 가지고 있을 것입니다.

이런 면들을 종합해 보면 둘째지만 조금 더 어른스러운 면이 있고 딸들과의 관계에서도 첫째는 뒤끝 없이 털털해서 엄마와 더 잘 지내고, 둘째와 조금 더 어려움을 느낄 수 있을 듯합니다.

MBTI에서는 주기능, 부기능을 통해서 3차기능과 열등기능을 파악하고 완전함이 아닌 온전한 내가 되는 것을 훈련해야 한다고 합니다. 우리 쌍둥이 자매는 서로가 서로를 보고 배울 점이 많다고 생각이 되네요. 아마도 서로 너무도 안 맞는다고 말하는 것은, 보기 싫은 자신의 열등기능을 상대방을 통해 바라보게 되므로 그것을 바라보는 것이 아직은 힘들고 불편해서 서로 상극이라고 생각하는 것 같습니다. 그러나 영원한 반쪽처럼 서로의 반쪽을 채워줄 수 있는 소울메이트임에는 틀림없는 것 같습니다.

내담자 소감문

쌍둥이지만 어찌 이리도 다를까? 늘 궁금했었는데, 설명을 들으니 의문을 가졌던 부분이 말끔히 해소되고 듣는 동안 고개가 저절로 끄덕여집니다. 사실 안 맞을 땐 서로 너무 다르다고 생각이 들지만, 또 20대 또래 친구처럼 둘도 없는 단짝일 때도 많거든요. 앞으로 두 아이와 함께 잘 지내는 데 많은 도움이 될 것 같습니다. 특히 둘째 아이와 어려움이 있었는데 그 부분에서 아이에 대해서 더 잘 이해하게 되었습니다.

상담 8) 성격이 너무도 나와 다른 친구, 어떻게 잘 지낼 수 있을까요?

상담 문의 내용

상담자: 김건숙

저는 중학교 2학년 여학생입니다. 친구들 관계에서 상처를 많이 받아요. 특히 친구 K와 잘 어울려 다니는데, 친구 K한테 당황스러움을 느끼거나 어이없다는 생각이 들 때가 있어요. 친구 K와 관계에서 왜 이런 경험을 자주 하는지 알고 싶어요. 저의 MBTI 유형은 ISFP이고, 친구 K의 유형은 ESTJ예요.

ISFP(내담자)

ESTJ(친구 K)

상담 진행 내용

내담자는 ISFP로 4원소 중에서 불이 1, 물은 2, 공기는 0, 흙은 3으로 에너지 방향이 내부로 향하는 I의 성향이 강합니다. 친구 K는 ESTJ로 4

원소 중에서 불이 1, 물도 1, 공기는 3, 흙은 1로 에너지 방향이 외부로 향하는 E의 성향이 강합니다.

이처럼 내담자의 에너지 방향은 내부로 향하는 음의 성향이고, 친구 K는 외부로 향하는 양의 성향으로 매칭됩니다. 따라서, 내담자는 소수의 친구와 조용하면서 깊은 친밀한 관계에서 에너지를 얻는 것을 선호하고 친구 K는 다수와 활동적이면서도 폭넓은 관계에서 활력을 얻는 것을 선호할 수 있습니다.

두 사람의 상대적인 비교를 해보면, 내담자는 친구 K보다 물과 흙의 음의 에너지를 많이 가지고 있고, 친구 K는 내담자보다 공기의 양의 에너지를 많이 가지고 있어서 내담자는 자신의 생각을 간직하는 성향인데 반해 친구 K는 자신의 생각을 외부로 드러내면서 자신의 주장을 밀고 나갈 가능성이 큽니다.

또한, 내담자는 4원소 중 물의 원소가 2, 친구 K는 1로 내담자는 친구 K보다 관계를 맺고 연결되는 것에 중요성을 두고 있어, 친구 K보다 둘의 관계에 에너지를 쏟을 수 있습니다. 내담자는 4원소 중 공기의 원소가 0, 친구 K는 3으로 사고적인 부분에서는 논리적이고 자신의 생각을 표현하는 것에 친구 K가 적극적이어서 내담자는 친구 K의 의견을 따라가는 성향을 보일 수 있고, 그렇지만 종종 자신의 의견이 반영되지 않는다는 느낌이 지속해서 쌓여갈 수 있으며, 친구 K가 내담자가 친구 K의 의견을 따라주고 맞추어 준다는 것을 알아주기를 바랄 수 있습니다. 그렇게 되지 않을 때 내담자는 친구 K에게 마음속에 서운함이 생길 수 있습니다.

흙의 원소의 경우에 내담자는 흙이 3, 친구 K는 흙이 1이므로 친구에게 선물하거나 현실적으로 섬세하게 친구를 챙기는 부분은 친구 K보다 내담자가 신경을 많이 쓸 수 있습니다.

따라서 내담자는 친구 K와 친구 관계에서 선호하는 스타일이 다르다는 것을 받아들일 필요가 있고, 친구에게 무조건 맞추고 자신의 애씀에 대해 친구 K가 알아주지 않는다고 서운해하지 말고, 감성과 이성을 잘 조절하여 상황에 맞게 행동하며, 자신의 욕구가 무엇인지를 알고 자신의 욕구와 목표에도 주의를 기울이고 외부로 표현할 수 있도록 노력이 필요합니다. 내담자는 친구 K에게 자신이 어떤 생각을 하고 느끼는지를 표현하는 연습을 할 필요가 있습니다. 이렇게 하면 내담자도 친구 K도 서로를 이해하고 아껴주는 건강한 친구 관계가 오래갈 수 있을 것입니다.

실제의 생활 모습 (내담자 작성)

저와 친구 K는 잘 어울려 다닙니다. 그러나 종종 사소한 문제로 저는 상처를 많이 받습니다. 친구는 카리스마가 강합니다. 자기가 한 번 생각하여 결정한 일을 자기식대로 끌고 가려고 합니다. 친구 K는 같이 놀러 갈 때도 자신이 주도하여 계획하고 제가 그대로 따라주었으면 합니다. 저는 친구 K와 관계가 중요하기 때문에 친구 K의 뜻에 될 수 있으면 맞추려고 노력하지만, 저도 가끔은 내가 가고 싶은 곳에 가고 싶고, 친구가 나한테만 집중해주기를 바랍니다.

친구 K는 다른 친구와도 어울리기 때문에 속상할 때가 많습니다. 배신당한 느낌을 받을 때도 있습니다. 저도 친구처럼 내 주장도 하고 대장처럼 행동하고 싶은 마음이 있는데, 잘 안됩니다. 저는 목소리에 힘이 없고 끝까지 내 주장을 밀고 나가지 못합니다. 저는 화가 나는 일이 있어도 속으로 '이해 안 되네, 어이없네, 당황스럽네.'라는 생각이 떠오르지만, 밖으로 표현하지 못합니다. 친구와 관계가 깨질까 봐 두렵고, 내 마음을 솔직하게 표현하는 일이 어렵습니다.

저는 쿠키 만들기를 좋아합니다. 고등학교도 제빵 관련 학교에 진학하고 싶습니다. 저는 주말에 쿠키를 잔뜩 만들어 친구들에게 나누어 줍니다. 손재주가 좋은 편이라 무언가를 만들기를 좋아하고, 친구들에게 선물하고 친구들이 고맙다고 하면 좋습니다. 그러나, 내 마음과 노력을 알아주지 않는 경우 아주 속상합니다. 친구 K는 나의 든든한 버팀목이 되어 주지만 나를 위로하거나 따뜻하게 말을 하지는 않습니다. 어떨 때는 친구인데도 냉정하다는 생각이 들 때도 있습니다.

내담자 소감문

친구와 다투고 속상할 때 '친구가 왜 이럴까?' 하는 생각을 많이 했습니다. 그런데, MBTI 타로카드로 친구 K와 저의 성격유형을 살펴보면서 이런 생각이 들었습니다. '친구와 나는 아주 다르구나. 친구 K가 나를 속상하게 하려고 일부러 그런 것이 아니구나.' 그리고 입 밖으로 표현은 안 했지만, 이전에는 '나는 괜찮은 사람이고, 친구가 이상하다.'라는 생각을 많이 했습니다. 저의 성격유형이 흙의 원소는 3이면서 공기 원소가 0이라는 것을 통해 왜 제가 '사소한 것에 지나치게 신경 쓰고, 또 제 주장을 하려고 하면 말이 잘 안 나오고 속으로 속상해 하며 억울한 생각만 들었는지'를 어렴풋하게나마 알게 되었습니다.

이제는 다른 사람에게 저를 맞추려고 지나치게 애쓰지 않는 것이 좋겠다는 생각을 하게 되었습니다. 애를 쓰면 쓸수록 속상함이 커질 테니까요. 대신에 저의 생각이나 감정을 표현하는 연습이 필요하다는 것을 알게 되었습니다. 신기합니다!

상담 9) 30대 중반인 저의 성격과 진로에 대해 답답함을 해결하고 싶어요.

상담 문의 내용

상담자: 신희숙

저는 30대 중반으로 공무원 시험에 여러 번 응시했지만 늘 아쉽게 불합격되다 보니 시험을 치르는 것에 대한 트라우마로 생각한 대로 행동을 하는 데 있어서 다소 지연되는 습관이 생겼습니다. 그렇지만 제 성격상 취업에 대해 불안하거나 크게 걱정하지는 않는 편입니다. 하고자 하는 일을 추진할 때는 구체적인 계획과 생각으로 처리하려는 경향은 있으나 실행함에 있어서는 다소 느긋한 편이라 주위 사람들로부터 오해를 받습니다. 내 생각과 다른 사람들과의 관계에서 매우 불편함을 느끼고 있으며 갑작스럽게 누군가의 지시나 명령에 대해 화가 나고 불만이 있어 해야 할 일에 대해 일 처리가 늦어지고 소극적인 태도로 오해를 받는 저 자신을 보면서 행동을 체계적이고 계획적으로 잘하지 못하는 저의 성격에 대해 알고 싶습니다. 저는 ENTP입니다.

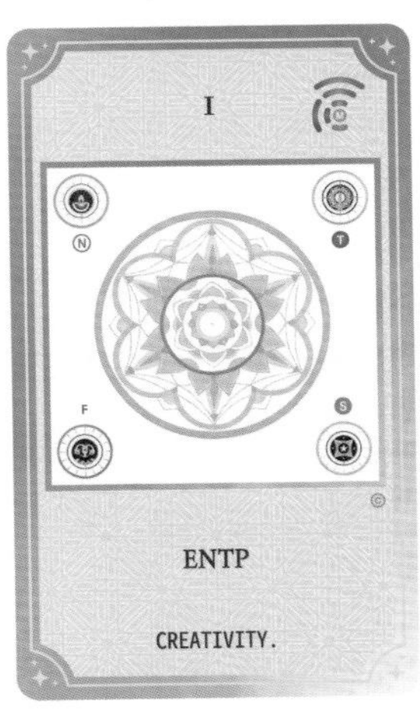

ENTP(내담자)

타로카드(마법사카드)

상담 진행 내용

내담자는 ENTP로 4원소 중에서 불의 성향이 3, 물은 0, 공기는 2, 흙은 1로 에너지 방향을 외부로 사용하는 E 성향이 강합니다. 불(완드)은 열정, 행동, 모험, 에너지, 투쟁을 상징한다. 그래서 불이 강한 유형의 사람은 창조적이며 열정적이고 다혈질적이며 직관적입니다. 물(컵)의 성향은 마음, 감정, 사랑, 관계를 의미하며, 공기(소드)의 성향은 사고, 이성, 논리, 판단, 지성을 의미하고, 흙(펜타클)의 성향은 현실적, 돈, 경제, 물질, 능력, 재능을 의미합니다. ENTP는 불의 성향이 매우 강하며 공기의 성향도 강하며 흙의 성향은 1로 약하고 물의 성향은 없습니다. 불의 성향이 강하므로 열정과 행동 에너지는 넘치고 너무 일을 즉흥적이고 열정적으로 하는 부분이 있을 수 있어 한 번 생각해 보고 실천하는 것이 좋을 것 같습니다. 즉, 행동이 너무 앞서면 열정적이고 적극적으로 활동하지만 지속적으로 유지가 어려울 수 있습니다. 그러므로 물, 공기, 흙의 요소에서 도움을 얻을 수 있어야 합니다. 생각하고 계획한 일을 끝까지 마무리하기 위해서는 차분하게 행동하고 지속적으로 노력해야 실질적인 결과를 얻을 수 있습니다.

ENTP 성격과 내담자의 성격을 보면 처음에는 적극적으로 열정을 가지고 도전했지만 여러 번의 실패로 자존감이 조금 낮아진 듯합니다. 하지만 본인이 가지고 있는 성향은 도전적이고 열정적이기 때문 내게 맞는 일을 찾는다면 열정을 가지고 일할 수 있을 것 같습니다. 다른 사람의 지시나 명령보다는 스스로 계획해서 진행하는 일을 좋아하고 논리적이고 체계적인 일도 잘하지만 물이 없다 보니 다른 사람을 공감해 주는 능력이 조금 떨어질 수 있습니다. 내 감정을 먼저 내세우기보다는 상대방의 감정도 생각해 주었으면 좋겠습니다.

ENTP에 해당하는 유니버셜웨이트 카드는 '마법사' 카드입니다. 마법사 카드는 창조적 능력, 다재다능, 영리하고 냉철함, 독창적이고 분석적, 탁월한 의사소통 능력을 의미하는 카드입니다. 마법사의 이미지는 다재다능한, 시작하는, 잠재력 있는 권모술수의 의미를 나타내고 있어 마음만 먹으면 어떤 일이든지 해낼 수 있는 능력이 탁월하며 다방면에 재주가 많은 성격을 나타냅니다. 무엇을 해도 자신감이 넘치고 의욕은 앞서나 수많은 생각으로 구체적으로 행동하여 새로운 삶을 경험하기 위해 출발하는 추진력을 발휘할 수 있는 능력을 갖고 있다는 사실을 깨닫고 실천하는 용기가 필요합니다.

ENTP의 주기능은 직관기능(Se)으로서 끊임없이 새로운 아이디어를 탐구하고 서로 다른 개념을 연결하며 이론적 토론을 통해 활력을 얻도록 유도합니다. 이 덕분에 ENTP은 상황을 다각도로 볼 수 있어 뛰어난 브레인스토머이자 혁신가가 될 수 있습니다. 에너지와 열정이 넘치고 넓은 안목으로 흐름을 파악합니다. 부기능으로 내향적 사고(Ti)는 예리하고 분석적인 사고를 하게 합니다. 단순히 한 아이디어에서 다른 아이디어로 넘어가는 것이 아니라 이러한 아이디어를 분석하여 근본적인 원리와 논리적 일관성을 이해하려고 노력합니다. 이러한 논리 분석은 생각을 다듬는 데 도움이 되며 무수히 많은 아이디어가 탄탄한 토대를 갖출 수 있도록 합니다. 이들은 타고난 문제 해결사로 종종 독특하고 독창적인 관점으로 문제에 접근하며 ENTP는 논쟁에 강하고 다양한 분야에 박식하며 다재다능합니다. 3차 기능인 감정(F)으로 논리중심적이라 때로 다른 사람의 감정을 읽고 적절히 반응하는 것을 어려워합니다. 말을 할 때 본의 아니게 타인에게 상처를 줄 때가 있습니다. 열등기능으로는 내향적 감각(Si)으로 세부사항을 소홀히 하거나 일상에 어려움을 겪거나, 과거의 교훈을 간과할 수 있습니다. 현실적 한계를 고려하는 게 어려워 이론에 강하나 세부사항을 경시할 때가 많습니다. 반복되는 일상을 못 견뎌 하고 아이디어에만 관심이 많고 실행에는 관심이 없습니다.

그러므로 ENTP인 내담자가 계획한 일을 실행에 옮겨 완성해 내기 위해서는 가능하면 외향적인 성격을 바탕으로 행동 지향적인 사고와 창안자로 달성하고자 하는 일에 적극적으로 참여하도록 노력하여야 할 것입니다.

그리고 성공을 위해서는 자신의 장점을 활용해야 한다. ENTP의 장점으로 이론적 지식과 아이디어가 많은 명석한 두뇌를 소유하고 있으며 독창적이고 분석적이며 또한 행동력이 높으며 탁월한 의사소통 능력 재능이 있습니다. 이러한 성향을 지니고 있다는 사실을 받아들이고 매사 적극적으로 참여하려는 꾸준한 노력을 필요로 합니다.

내담자 소감문

그동안 일을 처리하는 과정에 늘 마음대로 되지 않아 힘들었는데 그 이유에 대해 명확하게 설명해 주셔서 좋았습니다. 에너지와 열정이 넘치고 계획은 잘 세우지만 뒷심이 조금 부족하여 끝까지 가는 것이 힘들었는데, 성격상의 설명을 듣고 나니 이해가 되었습니다. 내 주장이 강한 반면 상대방의 말을 조금 안 들으려고 하였는데 이 점도 조금 마음에 걸립니다. 상대방의 감정도 조금 생각해야 될 듯합니다. MBTI가 이런 깊숙이 있는 아픈 부분을 끌어내어 알려 주니 정말 놀랍고 신기합니다. 저도 기회가 되면 조금 깊이 공부해 보고 싶다는 생각이 듭니다.

상담 10) 성향이 너무 다른 부부 사이 편안하게 노년의 삶으로 펼쳐질까요?

상담 문의 내용

상담자: 김진순

저는 50대 후반이고, 남편은 60대 중반 사업을 하고 있습니다. 우리 부부는 살면서 성향이 정반대인 것 같은데 대화를 하다 보면 공감을 못 하는 것과 젊었을 때는 의견 대립이 많았었어요. 그러면서도 잘 맞추고 살아온 것 같은데, 앞으로의 삶은 좀 부드럽게 또는 편안하게 전개될 수 있을까요?

ISFJ(내담자)

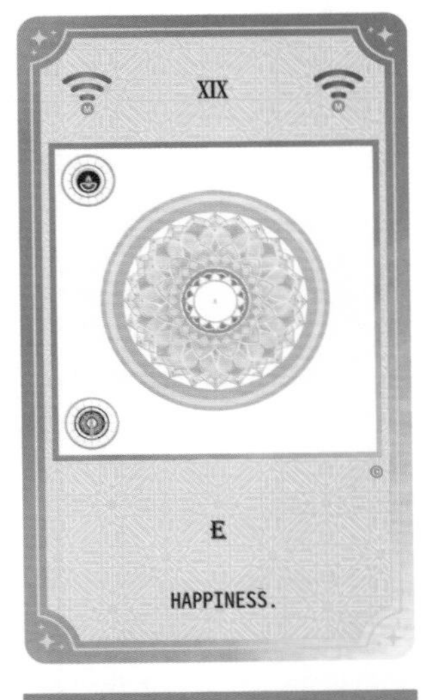

E(배우자)

상담 진행 내용

내담자는 ISFJ로 4원소 중에서 불이 0, 물은 3, 공기는 1, 흙은 2로 에너지 방향을 내부로 사용하는 I 성향이 강합니다. 남편도 특화된 카드 E

로 4원소 중에서 불이 3, 공기 3, 물은 0, 흙은 0로 에너지 방향을 외부로 사용하는 E의 성향이 강합니다.

이처럼 두 분은 에너지 방향을 정반대로 사용하는 양과 음의 성향으로 대칭이 된다. 따라서 두 분은 에너지를 사용하는 양의 에너지와 음의 에너지 방향이 서로 달라서 생활에서 힘들 수도 있겠지만, 서로에게 부족한 면을 보완해 주는 관계로서 에너지를 얻을 수 있습니다.

두 분의 상대적인 비교를 해보면, 내담자보다 남편이 불, 공기의 양의 에너지를 더 많이 소유하고 있어 정열적이고 활동적인 생활을 더 좋아함을 쉽게 파악할 수 있고, 물이 0이고 흙이 0이라 감정적인 부분은 쉽게 영향을 받지 않고 공감 능력과 이해심이 부족하다 느낄 수 있으며 사고적인 공기가 3이라 평소 생각이 많고 사고적인 부분이 내담자보다 강해서 자기주장이 강하고 간단명료한 것을 좋아하고 사실적인 면과 원인과 결과를 중요시하므로 내담자와 사고의 차이가 있습니다.

내담자는 불이 0이라 음의 에너지가 강해서 내부 활동에 집중하는 편이며 소수와 깊이 있는 대인관계를 하고 있고 조용하며 신중하고 공기가 1이라 사고적인 것보다 물이 3이라 감정적인 부분에 쉽게 영향을 많이 받고 예민한 부분이 있습니다. 사람과의 관계를 중요시하고 우호적인 성향을 가지고 있습니다.

또한, 펜타클의 상황에서는 배우자는 흙이 0, 내담자는 2이므로 경제적인 부분이나 물질적인 면에서 배우자보다 내담자가 상대적으로 조금 더 신경을 쓰는 편이고 일명 돈복이 내담자한테 있을 수 있습니다.

평소 에너지를 사용하는 방향이 반대인 두 분은 서로의 상황에 따라 활동할 필요가 있고, 배우자가 물의 요소가 없어 타인의 마음을 이해해 주는 배려심, 이해심을 적절히 잘 발휘하고 서로의 성향이 다름을 인정하고 서로에게 부족한 면을 채우면서 살아간다면 두 분은 서로에게 협조자가 될 수 있고 노년의 삶은 서로 맞추어 가며 행복한 삶으로 이어질 것입니다.

실제의 생활 모습 (내담자 작성)

우리 부부는 실제로 대화를 하다 보면 남편이 공감을 못 해주고 표현을 안 해줘서 감정적인 부분에 마음의 상처가 많았습니다. 남편은 행동이 너무 빠르고 움직임이 많고 저는 움직임이 느려서, 매주 같이 운동이나 여행하는 것을 좋아하는 남편은 제가 답답하다고도 말했었습니다.

남편은 여유롭고 낭만적인 여행보다는 가고자 하는 목적지만 빠르게 갔다 오려고 하고 저는 영화감상도 문화생활도 하고, 카페도 가서 커피 한잔하면서 여유를 즐기며 움직이고 싶어하는 성향이 있어서, 살면서 '참 많이 안 맞는구나' 생각했었습니다. 그렇지만 나이가 들면서 서로 맞지 않아 싸우면서 사는 것보다 서로 맞추면서 살아가는 것이 좋겠다 싶어서 요즘은 대화도 상황에 따라 조심히 하는 것을 느끼고 있고 행동하는 것도 맞추어 가면서 살고 있는 중입니다.

내담자 소감문

MBTI 타로 상담을 통해 이러한 성향이 있어서 갈등도 했었는데 우리 부부는 각자 바라보는 관점이 틀린 게 아니라 성향이 서로 다름을 인정해 주면서 서로 이해하고 배려하고 이해해 줘야 하겠구나 생각하고 발전해 나가면서 노년을 준비해 나가면 좋을 것 같습니다.

상담 11) 부부 사이의 성향 차이가 다소 느껴지는데 노년을 준비하는 과정에서 서로 잘 지내려면 어떻게 해야 할까요?

상담 문의 내용

상담자: 박경화

저와 배우자는 40대 중반으로, 2살 차이의 부부입니다. 서로 어릴 때부터 오빠, 동생으로 오래 보아온 사이로 친구처럼 오누이처럼 지내고 있습니다. 그래도 지내다 보면 사소하게 서로 의견이 다르고 기분이 상할 때가 있는데 부부 사이의 성향 부분에 대해서 알고 앞으로 노년을 준비하는 과정에서 이해하고 싶어서 상담을 의뢰했습니다.

ISFJ(내담자)

ESTJ(배우자)

상담 진행 내용

내담자는 ISFJ로 에너지 안테나를 보면 물은 3, 흙은 2, 공기는 1이며,

불의 에너지는 없습니다. 이런 에너지 안테나를 봤을 때 내향적 성향이 강한 편이며 물의 에너지상 인간관계에서 감정적인 교류를 중요하게 느끼는 편입니다. 주기능으로는 Si(내향 감각)로 규칙을 잘 따르고 실제적인 경험으로 얻은 사실을 중시하는 편입니다. 그래서 체계적이고 조직적으로 일이 이루어져야 마음이 편할 것입니다. 또한 부기능은 Fe(외향 감정)을 통해 타인의 기분을 많이 살피고 공감하며 주변 사람들의 감정에 따른 영향을 많이 받을 수 있습니다.

배우자는 ESTJ로 공기는 3, 불과 물, 흙의 에너지는 1입니다. 이런 에너지 안테나 성향을 봤을 때 외향적 성향이 강한 편이며 합리적이고 객관적인 일 처리가 중요하고 원리 원칙적인 모습을 보일 것입니다. 주기능으로는 Te(외향 사고)로 논리적이고 효율적으로 일 처리하며 조직 내에서 인정을 받는 편입니다. 또한 부기능인 Si(내향 감각)는 현실 중심적이며 실용성, 효율성을 추구하는 편입니다. 그래서 일과 업무 위주로 사람을 대할 수 있습니다.

서로 간에 물의 에너지가 많은 내담자와 공기의 에너지가 많은 배우자는 감정과 이성 사이에서 의견이 충돌이 나는 경우가 생길 수 있습니다. 배우자가 합리적이고 객관적으로만 생각하며 내담자가 상처받을 수 있는 부분을 미처 들여다보지 못하는 경우가 있을 것입니다. 그러면서도 두 분은 현실적인 부분을 중시하는 면에서 비슷한 성향을 가지고 있기 때문에 부부로서 살아가면서 큰 문제를 결정하는 데 있어서 서로 신뢰하는 관계일 것입니다. 살아가면서 사소하게 섭섭한 부분이 생기더라도 서로 가지고 있는 믿음으로 솔직한 대화를 해나간다면 갈등은 오래가지 않을 성향들이므로 서로가 신뢰로 대화를 많이 해나가면 좋겠습니다.

실제의 생활 모습 (내담자 작성)

우리 부부는 큰 목표와 살아가는 관점이 같아서 그런 부분을 잘 지내는 편입니다. 그래서 내가 없는 부분을 가지고 있는 남편에 대해서 인정하고 존경하는 편입니다. 하지만 살아가면서 조금은 내 마음을 알아주었으면 하는 순간이 있고, 내가 부탁한 일보다 자신의 직장에서 생기는 일이 더 중시되는 것 같아서 섭섭한 순간들이 있었습니다. 일보다는 조금은 내 입장에서 선택해 주기를 바랄 때가 있습니다.

그리고 다른 사람과 만났을 때의 사소한 행동이나 나를 먼저 배려해 주지 않는 것 같을 때의 모습을 이야기하면 남편은 "왜 이런 것으로 이야기하지?"라고 생각하는 것 같아서 나이가 들어가면서 섭섭함이 커지기도 합니다.

하지만 갈등이 생겼을 때 오래가는 편은 아닙니다. 서로 삶을 바라보는 큰 그림은 같아서 그런 것 같습니다.

내담자 소감문

이야기를 들으면서 디테일하게 맞아서 신기했습니다. 그리고 남편이 일을 중심으로 하면서 내가 부탁했던 약속을 미룰 때 많이 섭섭했는데, MBTI 타로카드로 성향 분석 상담을 들으면서 남편에 대해서 이해를 많이 하게 되었습니다. 그러면서 '그럴 수 있구나.' 하고 이번에 상담하기를 잘했다는 생각이 들었습니다.

저에게 사주에서도 불이 없다고 했는데, 이 카드에서도 그런 부분이 나온 점도 신기하고 스스로에 대해서 다시 한번 생각해 볼 수 있는 시간이었습니다.

3. 미리 엿보는 MBTI 타로카드 전문 실전 상담 배열법

MBTI 타로카드는 일반 타로상담에도 전문적으로 활용될 수 있다.

특히, 만다라 타로카드 전문배열법을 활용한 MBTI 타로카드 전문배열법은 아래와 같은 상담에 특화하여 전문적으로 사용할 수 있다. 추후 『MBTI 타로카드』 실전편에서 자세히 소개하기로 하고, 여기에서는 간단한 노하우만 살펴보도록 하자.

<참고> 만다라 타로카드 전문배열법

⑨	②	⑥
⑤	①	③
⑧	④	⑦

① 문제의 근원(핵심)

② 확장을 위한 요소 1　③ 확장을 위한 요소 2

④ 확장을 위한 요소 3　⑤ 확장을 위한 요소 4

⑥ 조화와 균형을 위한 요소 1　⑦조화와 균형을 위한 요소 2

⑧ 조화와 균형을 위한 요소 3　⑨조화와 균형을 위한 요소 4

여기에서 ①~⑨는 긍정적인 상황, 부정적인 상황 모두 포함한다.

①은 문제의 근원(핵심)으로 상담의 근본적인 핵심을 의미한다. 문제 상황과 직접적인 상황이지만, 추상적이고 초월적인 상황일 수 있다.

②, ③, ④, ⑤, ⑥, ⑦, ⑧, ⑨은 문제 상황을 해결하기 위한 방법, 더

나은 미래를 위한 방법 등을 의미한다.

이 중, ②, ③, ④, ⑤은 확장을 위한 요소로 이는 ① 문제의 근원(핵심)을 직접적으로 해결할 수 있는 방법이다. 또한, ⑥, ⑦, ⑧, ⑨은 조화와 균형을 위한 요소로 이는 ①문제의 근원(핵심)을 간접적으로 해결할 수 있는 방법이다.

추후 출간 예정인 『MBTI 타로카드(실전편)』에서 자세한 설명과 실전 상담을 다루기로 한다. 특히, 『MBTI 타로카드』의 기초가 되는 만다라 타로카드의 기초 내용을 이해하고 싶은 독자는 『만다라 명상 & 타로카드』(최지훤 외, 하움출판사)를 참고하면 큰 도움이 될 것이다.

상담 문의 내용

21년째 아내에게 나름 최선을 다하고 있습니다. 아이들에게도 아빠의 역할과 어느 정도의 엄마 역할도 하며 살아가고 있습니다. 결혼해서 처음 몇 년간은 서로 다른 환경에서 살아온 이유에서인지 많이 힘들었습니다. 특히, 현재까지 아내는 제가 보아왔던 돌아가신 어머니가 보여주신 아내, 어머니의 헌신적인 모습과 다르게 엄청난 차이를 보입니다. 일단, 아이가 성인이 될 때까지 가장으로서의 역할에 최선을 다하자고 마음 다지며 살아왔는데, 아이가 성인이 된 지금, 저는 여전히 아내에게 최선을 다하며 가장의 역할을 다하고 있습니다. 오히려, 지금은 아내가 '전생에서 나나 나라를 구했나 보다. 다음 생이 있으면 그때는 서로 바뀔 수도 있겠지' 하며 스스로 위안을 삼고 있습니다. 아내와의 지금 관계를 이해하고 싶습니다. 또, 앞으로 어떻게 해야 할지도 알고 싶습니다.

위 상담에서 MBTI 타로카드 전문배열법을 사용하면, 내담자의 첫 번째 질문인 내담자와 아내의 관계와 앞으로의 노하우를 종합 상담으로 연결하여 진행할 수 있다. 참고로, MBTI 타로카드 전문배열법은 아래와 같다. 이 MBTI 타로카드 전문배열법은 만다라 타로카드 전문배열법과 같이 칼 융의 동시성의 원리를 접목한 스프레드 방법을 사용한다.

<참고> MBTI 타로카드 전문배열법

<table>
<tr>
<td>
<table>
<tr><td>7</td><td>8</td><td>9</td></tr>
<tr><td>1</td><td>3</td><td>2</td></tr>
<tr><td>4</td><td>5</td><td>6</td></tr>
</table>
</td>
<td>1 : 나(내담자)
2 : 너(상대)
3 : 관계</td>
<td>4 : 관계에 영향을 미친 과거 1
5 : 관계에 영향을 미친 과거 2
6 : 과거의 핵심
7 : 현재의 핵심
8 : 긍정적 관계를 위한 방안 1
9 : 긍정적 관계를 위한 방안 2</td>
</tr>
</table>

실전 상담

내담자는 마음이 따뜻하고 감정에 민감하며, 사람과의 인연을 중시하는 등 정(사랑)에 약한 사람이군요. 그런 이유로 긴 세월 동안 아내를 내담자의 인연이라 여겨오신 것이지요. 내담자는 강한 신념을 바탕으로 항상 가능성 있는 변화를 시도해 왔고, 감정과 현실을 기반으로 아내를 수용해 왔던 것입니다.

이에 반해 배우자인 아내는 논리적인 사고, 냉정함을 바탕으로 객관적이고 정확함을 추구하는 분입니다. 정의감, 균형, 공평함을 항상 합리적으로 판단하여 행동으로 옮겨 온 분이군요. 아내는 남편을 포함한 가족의 여러 상황을 수용하기보다는 자신의 판단으로 가족에게 생각을 내세우며 주장하는 상황이 많았었습니다.

그래도 다행인 것은 두 분의 관계가 긍정적인 변화를 꿈꾸며 이상적 변화를 시도하는 상황이라는 것입니다.

이런 관계에 영향을 미친 과거의 사항으로 감정적인 사랑에는 민감하고 현실, 실용 위주로 행동했다는 것과 한편으로는 뜬구름 잡는 과대망상을 추구했다는 것을 들 수 있습니다. 특히, 현재 상황을 이끈 가장 핵심적인 사항은 서로에게 인색하며 자기중심적인 이기심과 강한 소유욕을 내세웠다는 것입니다.

현재의 핵심, 즉 현재 상황에서 가장 필요한 것은 가족이라는 공동체의 행복과 평화를 위해 마음을 모으고, 각자의 역할에 충실하며, 융통성을 발휘하는 것입니다.

현재 상황의 문제를 해결하기 위해서는 강한 정신력을 발휘하며, 무엇보다 진리를 믿는 냉정함과 합리적으로 행동함이 필요합니다. 또한, 가정이라는 공동체를 생각하며, 완벽한 평화로움, 행복의 추구가 필요합니다.

Epilogue

본서 『MBTI 타로카드』 책 서두 Prologue에서 이야기한 대로 타로카드(TAROT CARD)와 MBTI의 융합은 참으로 엄청난 작업이고, 쉽지 않은 과정이었다.

세계적으로 '타로카드(TAROT CARD)와 MBTI의 융합'을 시도한 단체나 개인이 많았겠지만, 이 과정이 만만치 않기에 수년, 아니 십수 년의 긴 연구와 노력 끝에 이제야 78장 타로카드 시스템의 완벽한 『MBTI 타로카드』가 세상에 드러나게 되었음을 보아도 그 어려움을 짐작할 수 있을 것이다.

심리학 교수 & 심리학 박사, 타로 그랜드마스터, 타로 트레이너, MBTI 전문 강사 또는 MBTI 일반 강사 등의 전문자격을 소유하거나 해당 교육을 이수한 전문가 위주로 구성된 본 전문가 & 공저팀 또한 엄청난 시간과 어려움이 있었다. 많은 착오와 오류가 있었고, 중간 포기라는 기로에서 큰 어려움에 봉착하기도 하였다.

그 많은 장애물을 걷어 내고 비로소, 『MBTI 타로카드』를 세상에 내보인다.

이 『MBTI 타로카드』는 MBTI 기초, 타로카드 기초 지식만 있으면

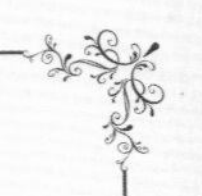

이해할 수 있을 것이다.

하지만, 종합적이고 전문적인 상담을 위해서는 4기능 등 MBTI 전문 지식과 4원소, 수비학 등 타로카드 전문 지식이 필요하다. Prologue에서 소개한 관련 전문 서적 및 MBTI 타로카드 상담전문가 민간자격증을 살펴보기 바란다.

MBTI 타로카드 연구팀은 계속적인 연구로 추후 『MBTI 타로카드』 전문편, 실전편 등을 선보일 예정이다.

『MBTI 타로카드 - MBTI(Myers - Briggs Type Indicator) TAROT CARD』가 건강한 세상, 밝은 세상, 아름다운 세상, 사랑하는 세상을 만드는 데 조금이나마 도움이 되면 좋겠다는 것이 우리 『MBTI 타로카드』 전문가 & 공저자들의 하나된 마음이다.

『MBTI 타로카드』 연구회
전문가 & 공저자 일동

한국 타로&NLP상담 전문가 협회, 한국 만다라심리상담협회 전문서적 안내

1. 타로상담 전문가 전문서적

(1) 타로카드상담과 NLP힐링치유(초판, 개정판 품절)

저자 최지훤 외	**출판사** 해드림출판사
발행일 2017년 5월 22일	**사양** 신국판

타로상담의 기초 내용을 자세히 소개했다. 기존 타로를 점이라고 인식하는 독자, 수강생들에게 타로상담을 소개하고 효율적인 상담 방법인 NLP상담을 접목한 국내 최초의 타로상담 & NLP상담 서적이다. 너무나 좋은 인기로 아쉽게 2000권 모두 품절이다.

(2) 타로카드상담전문가(초판, 개정판 품절)

저자 최지훤 외	**출판사** 해드림출판사
발행일 2020년 2월 20일	**사양** 160*231(양장)

타로상담전문가를 꿈꾸는 사람이라면 반드시 읽어보아야 할 필독서! 타로상담 기본 내용과 고급 실전 상담까지 수록되어 있는 타로카드상담전문가를 위한 고급 전문서이다. 타로카드상담전문가를 꿈꾸는 독자들에게 상당히 인기 있는 베스트셀러로 벌써 개정판(2쇄)을 출판했다. 대학교 평생교육원, 교원연수 등의 강의에서 사용하는 전문 실전서이다.

(3) 칼라 심리 & 상담카드(품절)

저자 최지훤 외 **출판사** 해드림출판사
발행일 2018년 7월 7일 **사양** 책+카드 세트

사람의 마음, 잠재의식과의 연결고리, 커뮤니케이션을 위한 칼라 심리 & 상담카드. 컬러와 수비학적인 신비로움을 가미하여 칼라 심리 & 상담카드가 제작되었다. 학교현장 및 상담현장에서 폭넓고 다채롭게 활용되고 있다. 수강생과 독자들은 한결같이 이야기한다. 서프라이즈~ 라고...

(4) 타로카드 상담전문가 프레젠테이션

저자 최지훤 외 **출판사** 해드림출판사
발행일 2019년 11월 11일 **사양** 4*6배판(양장)

타로 전문 강사를 위한 PPT 강의 내용을 책으로 출판하여 타로상담전문가의 커리큘럼을 표준화했다. 타로상담전문가의 기초, 기본, 중급의 내용 모두를 한눈에 확인해 볼 수 있는 고급 전문서이다. 강의를 위한 강사들도 많이 참고하고 있는 베스트셀러이다.

(5) 심볼론카드 상담전문가(2쇄)

저자 최지훤 외 **출판사** 하움출판사
발행일 2023년 5월 19일 **사양** 신국판

심볼론카드는 마음의 상처를 해결하는 경험을 우리에게 제공한다. 심볼론카드 실전 상담 사례뿐만 아니라, 전문 사용법을 이해하기 위한 12별자리 10행성을 포함한 4원소, 3대 특(자)질, 양극성을 자세히 설명해 놓았다. 점성학을 사용하는 방법과 점성학을 사용하지 않는 사용법 등도 자세히 소개되어 있으며 카드 한 장 한 장, 총 78장의 최지훤 대표 저자의 전문 해설도 수록되었다.

(6) 마르세이유 타로카드상담전문가

저자 최지훤 외	**출판사** 해드림출판사
발행일 2020년 10월 1일	**사양** 162*231

타로카드의 어머니, 대표적인 정통 타로카드라고 이야기할 수 있는 마르세이유 타로카드에 대한 전문 기본해설서이다. 메이저카드 22장, 마이너카드 56장, 총 78장의 마르세이유 타로카드에 대해 4원소, 수비학의 설명을 포함하여 독자들이 쉽게 이해할 수 있도록 설명했으며, 실전 상담의 사례도 수록하여 누구나 쉽게 타로상담을 할 수 있는 노하우를 제시해 준다.

(7) 학교 타로상담&NLP상담: 기본편(2쇄)

저자 최지훤 외	**출판사** 하움출판사
발행일 2023년 5월 19일	**사양** 신국판

국내 최초로 교원, 학부모, 상담사들이 성공적으로 진행한 학교 교육 현장에서의 타로 실전 상담을 수록하고 있는 타로상담&NLP상담 기본 전문서이다. 한국교원연수원(http://www.hstudy.co.kr) 교원 및 일반인 대상 타로상담 전문가 자격 연수의 교재이기도 하다. 타로카드 한 장, 한 장의 의미와 함께 기본적인 실전 상담과 연계할 수 있는 노하우, 전문가로 나아가기 위한 팁을 수록했다.

(8) 컬러타로카드 상담전문가 책 & 카드

저자 최지훤 외	**출판사** 하움출판사
발행일 2021년 8월 20일	**사양** 책+카드 세트

사람의 마음, 잠재의식과의 연결 고리, 내면과의 커뮤니케이션을 위해 컬러와 수비학적인 신비로움을 가미하여 컬러타로상담카드(COLOR TAROT COUNSELING CARD)가 제작되었다. 교육 현장 및 상담 현장에서 폭넓고 다채롭게 활용되고 있다. 수강생과 독자들은 한결같이 이야기한다. 서프라이즈라고....

(9) 타로상담의 정석: 기본편

저자 최지훤 외 **출판사** 하움출판사
발행일 2022년 10월 31일 **사양** 신국판

타로상담의 백과 사전의 기초편이라고 생각하면 된다. 유니버셜웨이트 타로카드 상담의 기본부터 마르세이유 타로카드, 컬러타로카드, 심볼론 타로카드, 데카메론 타로카드, 오쇼젠 타로카드 등 세계적인 타로카드를 국내 최초로 한곳에 모아 선보인 최지훤 타로그랜드마스터의 베스트셀러이다. 제목답게 타로상담의 정석(기본편)을 맛볼 수 있다. 발행 직후부터 후속 출판을 요청받는 타로상담 전문서이다.

(10) 데카메론 타로카드 상담전문가(3쇄)

저자 최지훤 외 **출판사** 하움출판사
발행일 2023년 11월 23일 **사양** 신국판

14C 중엽인 1348년, 인문학의 대가인 보카치오가 흑사병을 주제로 저술한 데카메론이라는 책의 내용과 연계하여, 성인 데카메론 타로카드 전문 회사인 LO SCARABEO 사와 라이선스 계약을 통해 국내 최초 데카메론 타로카드상담전문가 책을 집필하게 되었다.

2. 만다라 전문서적

(1) 만다라 명상 & 타로카드를 기반으로 한『만다라 코칭&실제』

저자 최지훤 외 **출판사** 메이킹북스
발행일 2023년 7월 7일 **사양** 신국판

물질 문명이 발달할수록 우리의 정신적 영역은 나날이 피폐해지고 있는 현실이다. 『만다라 코칭 & 실제』가 우리의 삶 특히, 학교 현장에서 마음의 영역에 빛을 비추는 계기가 될 것이라 믿는다. 자신의 마음을 깊숙이 들여다보고, 치유할 수 있는 첫걸음이 될 이 책을 강력히 권한다.

(2) 만다라 명상 & 타로카드 책 & 카드

저자 최지훤 외 **출판사** 하움출판사
발행일 2023년 9월 22일 **사양** 신국판

『만다라 명상&타로카드』는 최고의 타로상담 전문가와 만다라 전문가가 '카발라, 오컬트적인 신비주의의 의미 가미하여 22장의 메이저 카드와 56장의 마이너 카드, 총 78장의 타로카드로 수년간 기획, 직접 그려 제작'한 심혈을 기울인 세계적인 작품이다.

(3) MBTI 타로카드 책 & 카드

저자 최지훤 외 **출판사** 하움출판사
발행일 2024년 2월 5일 **사양** 신국판

MBTI 16가지 성격 유형에 타로카드의 신비주의적 요소를 가미한 - 세계 최초 "MBT 타로카드" - MBTI & TAROT & OCCULT(SYMBOL & 4 ELEMENTS & NUMEROLOGY etc.)!!! 수년간의 기획과 제작 기간!!! 직접 종이에 그려 만든 웅장한 78장!!! 대학 심리학 교수 & 심리학 박사, 상담심리학 박사, 미술치료 박사, 타로 그랜드 마스터, MBTI 전문 강사 & 그 외 전문가들의 COLLABORATION!!!

3. 2024년 출판 예정

(1) 한국형 유니버셜웨이트 타로카드

(2) 한국형 데카메론 타로카드

(3) 컬러타로카드 <완전 개정판>

(4) MBTI 타로카드 <실전편>

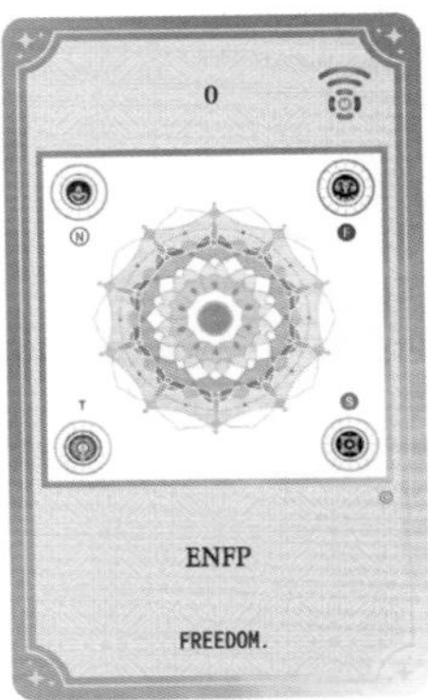

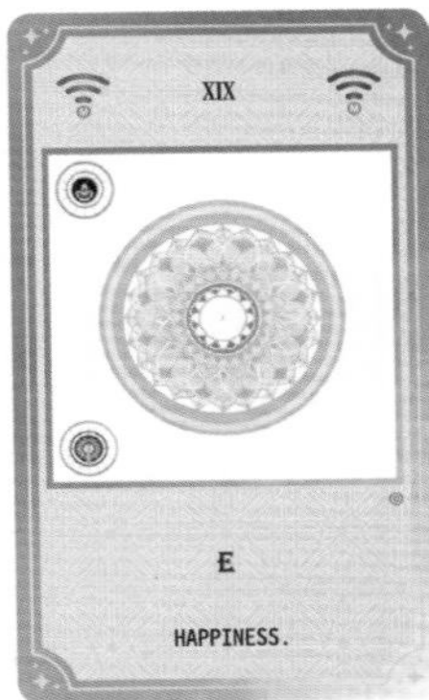

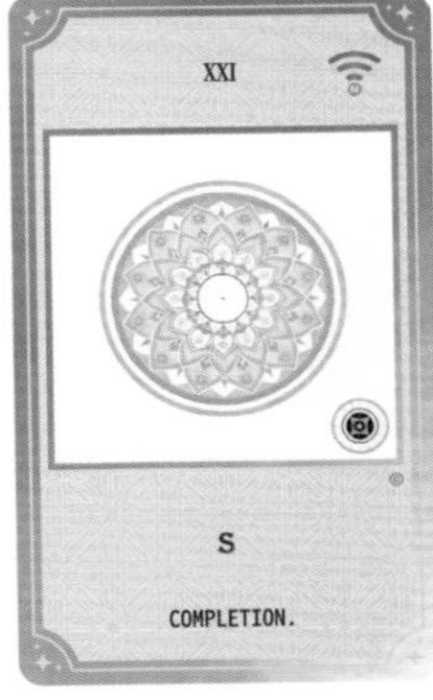

MBTI 참고 문헌 (어세스타) 및 참고 자료

MBTI 전문 강의는
한국 MBTI 연구소(https://www.mbti.co.kr)
전문자격과정 강의를 추천하며,
MBTI 참고 자료는
어세스타(https://www.assesta.com)의
아래 교재를 추천한다.

1. MBTI® 전문자격교육 초급과정
2. MBTI® 전문자격 교육 보수과정
3. MBTI® 전문자격교육 중급과정
4. MBTI® 전문자격교육 일반강사과정
5. 16가지 성격 유형의 특성
6. MBTI® 성장프로그램 지도자 안내서 외

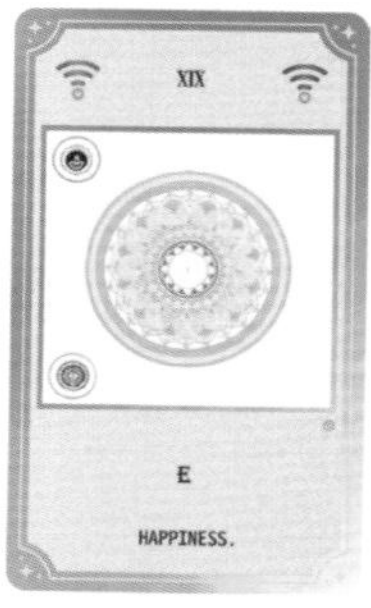

MBTI TAROT CARD

" MBTI 타로카드 출판, 제작에
많은 격려와 응원을 해주신
한국 MBTI 연구소 소장님 이하 관계자분들께
글로나마 감사의 말씀을 전합니다."

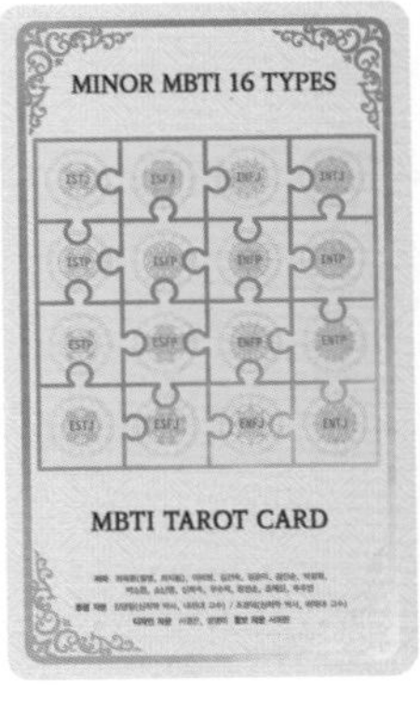

본『MBTI 타로카드』의 오류가 발견될 경우,
다음 카페, 한국 만다라 심리상담협회(cafe.daum.net/KANLP)에
공지하도록 한다.

MBTI 타로카드

1판 1쇄 발행 2024년 2월 5일

지은이 최옥환(필명, 최지훤), 이미정, 김건숙, 김은미, 김진순, 박경화,
박소현, 소난영, 신희숙, 우수옥, 장선순, 조혜진, 추주연
디자인 유은경

교정 신선미 **편집** 김다인 **마케팅・지원** 김혜지

펴낸곳 (주)하움출판사 **펴낸이** 문현광

이메일 haum1000@naver.com **홈페이지** haum.kr
블로그 blog.naver.com/haum1000 **인스타그램** @haum1007

ISBN 979-11-6440-508-4(13180)

좋은 책을 만들겠습니다.
하움출판사는 독자 여러분의 의견에 항상 귀 기울이고 있습니다.
파본은 구입처에서 교환해 드립니다.